MAGISTERIUM

Obras das autoras publicadas pela Galera Record:

***Série* Magisterium**
O desafio de ferro
A luva de cobre
A chave de bronze
A máscara de prata
A torre de ouro

Holly Black

***Série* O Povo do Ar**
O príncipe cruel
O rei perverso
A rainha do nada

O canto mais escuro da floresta
Como o rei de Elfhame aprendeu a odiar histórias

Zumbis x unicórnios

Cassandra Clare

***Série* Os Instrumentos Mortais**
Cidade dos ossos
Cidade das cinzas
Cidade de vidro
Cidade dos anjos caídos
Cidade das almas perdidas
Cidade do fogo celestial

***Série* As Peças Infernais**
Anjo mecânico
Príncipe mecânico
Princesa mecânica

***Série* Os Artifícios das Trevas**
Dama da meia-noite
Senhor das sombras
Rainha do ar e da escuridão

***Série* As Últimas Horas**
Corrente de ouro

***Série* As Maldições Ancestrais**
Os pergaminhos vermelhos da magia
O livro branco perdido

O códex dos Caçadores de Sombras
As crônicas de Bane
Uma história de notáveis Caçadores de Sombras e seres do Submundo: contada na linguagem das flores
Contos da Academia dos Caçadores de Sombras

MAGISTERIUM

LIVRO 5

Tradução

Ivanir Alves Calado

7ª edição

GALERA
junior
RIO DE JANEIRO
2024

CIP-BRASIL. CATALOGAÇÃO NA PUBLICAÇÃO
SINDICATO NACIONAL DOS EDITORES DE LIVROS, RJ

C541t Clare, Cassandra, 1973-
7. ed. A torre de ouro / Cassandra Clare, Holly Black ; tradução Ivanir Calado. – 7. ed. – Rio de Janeiro : Galera Record, 2024.

(Magisterium; 5)

Tradução de: The golden tower

ISBN 978-65-5981-030-7

1. Ficção. 2. Literatura infantojuvenil americana. I. Black, Holly. II. Calado, Ivanir. III. Título. IV. Série.

21-71901 CDD: 808.899282
CDU: 82-93(73)

Camila Donis Hartmann - Bibliotecária - CRB-7/6472

Título original:
The Golden Tower

Publicado mediante acordo com as autoras e Baror International, INC., Armonk, New York, USA.

Texto revisado segundo o novo Acordo Ortográfico da Língua Portuguesa.

Direitos exclusivos de publicação em língua portuguesa somente para o Brasil adquiridos pela
EDITORA RECORD LTDA.
Rua Argentina, 171 – Rio de Janeiro, RJ – 20921-380 – Tel.: (21) 2585-2000,
que se reserva a propriedade literária desta tradução.

Impresso no Brasil

ISBN 978-65-5981-030-7

Para Cammie e Elliot,
que são bons em serem maus.

↑≋△○@

CAPÍTULO UM

Pela primeira vez na vida, Call achou que a casa em que cresceu parecia pequena.

Alastair parou o carro e os dois saíram junto com Devastação, que correu pela beirada do gramado, latindo. Alastair olhou para Call antes de trancar o carro — não havia malas nem sacolas de lona com que se preocupar. Call tinha voltado da casa de Mestre Joseph sem nada.

Não exatamente nada, disse a voz de Aaron em sua cabeça. *Você me trouxe.*

Call tentou não sorrir. Seria estranho se seu pai o visse rindo de coisa nenhuma, principalmente porque nos últimos tempos não existiam muitos motivos para tal — o Mestre Joseph e suas forças tinham sido derrotados pelo Magisterium, mas à custa de um grande número de mortes. O melhor amigo de Call, Aaron, fora trazido de volta dos mortos somente para morrer outra vez.

Até onde todos sabiam.

— Você está bem? — perguntou Alastair, estreitando os olhos. — Parece que comeu alguma coisa estragada.

Call abandonou a tentativa de não sorrir.

— Só estou feliz em voltar para casa.

Alastair o abraçou, sem jeito.

— Não culpo você.

Por dentro, a casa também parecia menor. Call entrou no próprio quarto, Devastação ofegando logo atrás. Ainda era estranho ver o lobo com os olhos verdes, normais, em vez dos olhos reluzentes dos Dominados pelo Caos. Call se curvou para coçar as orelhas do bicho, que bocejou com a cauda batucando no chão.

Call andou pelo quarto, segurando e largando coisas distraidamente. Seu velho uniforme do Ano de Ferro. Seixos lisos das cavernas do Magisterium. Uma foto dele ao lado de Aaron e Tamara, os três sorrindo de orelha a orelha.

Tamara. Sentiu um nó no estômago.

Call não falava com ela desde quando ela se ajoelhara junto ao seu corpo no campo de batalha perto da fortaleza do Metre Joseph. Naquele momento tinha parecido possível que o sentimento dela fosse recíproco, mas o silêncio que veio em seguida deixou a situação mais compreensível. Afinal de contas, uma coisa era não desejar a morte de alguém; outra completamente diferente era querer falar com esse alguém quando vivo.

Para começo de conversa, Tamara não queria que Call trouxesse Aaron de volta dos mortos, e, uma vez que Aaron estava de volta, ela achou que ele não era mais o mesmo. Para ser justo, Aaron *não* estava mais agindo como ele mesmo. No fim das contas, provou-se que trazer uma alma de volta para um corpo ligeiramente apodrecido provocava reações adversas. Ironicamente, Aaron era muito mais ele mesmo agora que chacoalhava dentro da cabeça de Call. Mas Tamara não sabia que Aaron continuava por ali, e Call tinha certeza, baseado em reações anteriores, que ela ficaria muito desconfiada se descobrisse. Ela já achava que Call era um mago das forças do mal, ou ao menos com tendência a isso.

Call realmente não queria pensar no assunto porque, dentre todas as pessoas do mundo, Tamara sempre havia sido quem mais acreditava nele.

Ainda vamos ter de contar a ela, você sabe.

Call levou um susto. Apesar de Aaron ter estado com ele na Enfermaria do Magisterium durante toda a recuperação dos efeitos do uso excessivo de magia do caos durante a batalha com Alex, ter outra pessoa ouvindo e respondendo aos seus pensamentos nunca deixava de ser inquietante.

Houve uma batida à porta e Alastair entrou.

— Quer jantar? Posso fazer uns sanduíches de queijo quente com pimentão. Ou podemos pedir uma pizza.

— Sanduíche está ótimo — disse Call.

Alastair fez os sanduíches com cuidado, passando manteiga na frigideira de modo que o pão ficasse bem tostado e abrindo uma lata de sopa de tomate. O pai de Call nunca fora um grande cozinheiro, mas jantar à mesa com ele — e disfarçadamente oferecer as migalhas a Devastação por baixo da mesa — era muito melhor do que o banquete mais delicioso que o Mestre Joseph pudesse conjurar.

— Bem — começou Alastair, assim que os dois começaram a comer. A sopa de tomate estava equilibrada entre o salgado e o doce, e o queijo com pimentão tinha o tempero exato. — Precisamos falar do futuro.

Call levantou os olhos, perplexo.

— Futuro?

— Você vai cursar o Ano de Ouro no Magisterium. Todo mundo concorda que você... uhm... aprendeu magia suficiente para considerar que o Ano de Prata esteja concluído. Você vai passar pelo portão assim que voltar para a escola no outono.

— Eu não posso voltar ao Magisterium! Todo mundo me odeia.

Alastair empurrou o cabelo escuro para trás, distraidamente.

— Provavelmente já nem tanto. Você é herói outra vez. — O pai de Call era um ótimo pai em muitos sentidos, mas ainda precisava melhorar bastante o tato. — De qualquer modo, só precisa aguentar mais um ano de estudos. E, sem o Mestre Joseph, a coisa deve ficar bem calma.

— O Collegium...

— Você não precisa ir para o Collegium, Call. E eu até acho que seria melhor se você não fosse. Agora que Aaron morreu você é o único Makar que resta. Eles vão tentar usá-lo e nunca vão confiar em você. Você não vai conseguir ter uma vida de mago normal.

Call não tinha certeza de que algum mago tivesse vida normal.

— Então o que eu vou fazer? Estudar numa faculdade comum?

— Eu não cursei faculdade alguma — disse Alastair. — Nós poderíamos tirar um tempo de folga, viajar um pouco. Eu posso ensinar a você o que eu faço, quem sabe abrir um negócio em algum lugar, de pai e filho. Tipo na Califórnia. — Ele remexeu a sopa com a colher. — Quero dizer, a gente precisaria trocar de nome. Evitar o Magisterium e a Assembleia. Mas vale a pena.

Call estava sem palavras. No momento, a ideia de nunca mais lidar com a Assembleia e seus pontos de vista sobre os Makars, ou com o ódio que as pessoas sentiam por Constantine Madden, o Inimigo da Morte, cuja alma vivia no corpo de Call, parecia ideal. Mas...

— Olha, eu preciso contar uma coisa — disse Call. — O Aaron não morreu de verdade.

Alastair franziu a testa com preocupação.

Putz, pensou Aaron. *Espero que ele não pire de vez.*

— Como assim? — perguntou Alastair com cuidado.

— Ele ainda está na minha cabeça. Tipo... está vivendo dentro de mim.

Não tinha a menor necessidade de contar isso, disse Aaron. O que era bem engraçado, vindo dele, a mesma pessoa que acabara de dizer que os dois precisavam contar para Tamara.

Alastair assentiu lentamente e o alívio fez os ombros de Call relaxarem. O pai estava recebendo bem a notícia. Talvez tivesse algumas ideias quanto ao que fazer.

— Esse é um bom modo de enxergar a coisa — disse Alastair finalmente. — Você está lidando muito bem com tudo isso. Eu sei que o luto é uma coisa difícil, mas o melhor a fazer é manter as lembranças e...

— Você não entendeu — interrompeu Call. — Aaron fala comigo. Eu *escuto*.

Alastair continuou assentindo.

— Às vezes eu também sentia isso quando perdemos sua mãe. Era quase como se eu pudesse escutar a voz de Sarah me dando bronca. Especialmente na vez em que deixei você engatinhando lá fora e não vi quando você comeu terra.

— Eu comi terra?

— É bom para a imunidade — respondeu Alastair, ligeiramente na defensiva. — Você está ótimo.

— Talvez, mas essa não é a questão. A questão é que Aaron está realmente, realmente comigo.

Alastair pôs a mão com gentileza no ombro de Call.

— Sei que está.

E depois disso Call não teve coragem de dizer mais nada.

↑≋△○@

Na noite anterior à partida para seu último ano no Magisterium, Call ficou acordado na cama enquanto a lua criava um rastro branco sobre as cobertas. Havia arrumado uma mala de ombro para a viagem ao Magisterium, onde vestiria o uniforme vermelho de aluno do Ano de Ouro. Lembrava-se de Alex Strike com esse mesmo uniforme, com uma aparência superdescolada e confiante com os amigos. Agora Alex estava morto. *Ainda bem*, pensou Call. Alex tinha assassinado Aaron e merecia tudo que havia recebido.

Call. A voz de Aaron era um sussurro. *Não pense nessas coisas. Você só precisa passar pelo dia de amanhã.*

— Mas todo mundo vai me odiar.

Call sabia que Alastair discordava, mas tinha quase certeza de que estava certo quanto a isso. Ele estivera do lado certo na última batalha, tinha salvado o Magisterium, ok. Só que, ainda assim, era o portador da alma corrompida de Constantine Madden.

Devastação ganiu e esfregou o focinho na mão de Call, depois começou a tentar se enfiar embaixo das cobertas. Era bonitinho quando ele era filhote, mas era uma coisa totalmente perigosa num lobo adulto, mesmo não estando Dominado.

Para com isso, Devastação, pensou Aaron, e Devastação balançou a cabeça para cima, piscando. *Ele me ouve!* Aaron adorou isso.

— Você está imaginando coisas — disse Call.

Houve uma batida à porta.

— Call? Você está no telefone? — perguntou Alastair.

— Não! — gritou Call. — Só estou... falando com Devastação.

— Ok.

Alastair pareceu em dúvida, mas seus passos se afastaram.

Você tem Tamara, Devastação e eu, disse Aaron. *Enquanto nós continuarmos juntos, vamos ficar bem.*

CAPÍTULO DOIS

Sentado no banco do carona do carro de Alastair, um Rolls-Royce Phantom 1937 prateado, indo novamente para o Magisterium, Call pensou em sua viagem para o Julgamento de Ferro, quatro anos antes. Lembrou-se do jeito com que Alastair tinha dito que, se ele não passasse nos testes, não precisaria estudar na escola de magia — o que era bom, porque, se fosse para lá, poderia morrer nos túneis.

Agora Call sabia qual era a verdadeira origem da preocupação do pai: que descobrissem que Call era o portador da alma de Constantine. E tudo que Alastair temia acabou acontecendo, exceto pela parte de morrer nos túneis.

Embora essa ainda não fosse uma possibilidade a ser descartada.

Você sempre pensa nas piores coisas possíveis?, perguntou Aaron. *Tipo esse sistema de pontos de Suserano do Mal. A gente precisa mesmo conversar sobre isso.*

— Pode parar de me julgar — disse Call.

Alastair olhou para ele de um jeito estranho.

— Não estou julgando, Callum. Embora você tenha ficado muito quieto nessa viagem.

Call precisava mesmo parar de responder Aaron em voz alta.

E Aaron realmente precisava parar de ficar fuçando suas lembranças.

— Está tudo bem — disse Call ao pai. — Só estou um pouco nervoso.

— É só mais um ano. — Alastair entrou na estrada que ia até as cavernas da escola. — E aí os magos não vão poder dizer que você é perigoso por não ter treinamento ou qualquer besteira desse tipo. Mais um ano e você vai ficar livre dos magos para sempre.

Alguns minutos depois Call estava descendo do carro com a mala de ombro a tiracolo. Devastação saiu atrás dele, farejando o vento. Um ônibus liberava outros alunos, novos, recém-saídos dos Julgamentos de Ferro. Para Call pareciam todos muito pequenos, e foi impossível não se preocupar imediatamente. Alguns olhavam para Call, apontando e sussurrando entre si.

Call deixou isso de lado e ficou torcendo para que Warren, um lagarto esquisito que morava nas cavernas, guiasse os novatos para uma fenda.

Sem dúvida isso iria garantir a você um daqueles Pontos de Suserano do Mal, disse Aaron.

— Quer parar de ficar bisbilhotando meu cérebro? — murmurou Call baixinho.

Alastair se aproximou e deu um abraço de despedida e um tapinha no ombro. Com um susto, Call percebeu que os dois estavam quase da mesma altura.

Era possível ouvir sussurros em volta, perceber os olhares voltados para ele e seu pai. Quando Alastair recuou, seu maxilar estava tenso.

— Você é um bom garoto — disse ele. — Eles não merecem você.

Com um suspiro Call, o olhou se afastar no carro, depois foi para as cavernas do Magisterium. Devastação foi atrás.

Tudo parecia familiar e estranho ao mesmo tempo. O cheiro de pedra foi ficando cada vez mais forte à medida que ele se aprofundava no labirinto de túneis. O som de pequenos lagartos correndo e o brilho do musgo. Os outros alunos encarando e cobrindo a boca para sussurrar também era familiar, mas muito menos agradável. Até alguns Mestres estavam fazendo isso. Call flagrou o Mestre Rockmaple boquiaberto enquanto ele se aproximava da porta do seu apartamento no alojamento, e fez uma careta de volta.

Bateu com a pulseira na porta, que se abriu. Entrou, esperando que a sala estivesse vazia.

Não. Tamara estava sentada no sofá, já vestida com o uniforme do Ano de Ouro.

Você achou mesmo que ela não estaria aqui?, perguntou Aaron. *O apartamento também é dela.*

Pela primeira vez Call não respondeu a Aaron em voz alta, mas só porque havia um trovão em seus ouvidos e ele só conseguia pensar em Tamara. Em como ela era linda, o cabelo brilhando em uma trança pesada e como tudo nela parecia perfeitamente no lugar, desde as sobrancelhas bem definidas até o uniforme impecável.

Cara, que esquisito..., disse Aaron. *É como se a sua mente inteira tivesse se desfeito em fumaça ou sei lá. Call? Alô? Terra chamando Call?*

Call precisava dizer alguma coisa. Sabia que precisava dizer alguma coisa, especialmente porque ela continuava olhando para ele, como se esperasse exatamente isso.

Mas ele se sentia malvestido, desajeitado e completamente idiota. Não sabia como explicar que, embora não tenha feito as escolhas certas, no fim das contas elas tinham funcionado e ele não estava com raiva dela por ter fugido com Jasper, deixando-o na Central do Suserano do Mal com Mestre Joseph e Alex, então ela provavelmente não deveria estar com raiva dele por ter trazido Aaron dos mortos e...

Não, você não pode dizer nada disso, declarou Aaron com firmeza.

— Por quê? — perguntou Call.

Imediatamente se deu conta de que tinha feito isso de novo, falado em voz alta. Resistiu a dar um tapa na boca, o que só iria piorar tudo.

Tamara se levantou do sofá.

— *Por quê?* É só isso que você tem para me dizer?

— Não! — respondeu Call, percebendo que não havia pensado no que *deveria* dizer.

Repita o que eu falar, disse Aaron. *Tamara, sei que você tem motivos para estar com raiva de mim e sei que vou precisar reconquistar a sua confiança, mas espero que um dia possamos voltar a ser amigos.*

Call respirou fundo.

— Sei que você tem motivos para estar com raiva de mim — disse, sentindo-se mais idiota ainda, se é que era possível. — E sei que vou precisar reconquistar a sua confiança, mas espero que um dia possamos voltar a ser amigos.

A expressão de Tamara se suavizou.

— Podemos ser amigos, Call.

Call não conseguia acreditar que havia funcionado. Aaron sempre sabia o que dizer. E agora, com Aaron na cabeça, Call também saberia! Incrível.

— Ok — disse Call, já que não estava recebendo mais nenhuma instrução. — Que bom.

Tamara se curvou e coçou os pelos em volta do pescoço de Devastação, fazendo a língua do lobo ficar pendurada para fora, tamanha felicidade.

— Ele ficou ótimo assim, sem estar Dominado. Nem parece tão diferente.

Agora diga que você gosta dela, que fez algumas escolhas ruins e que está arrependido, sugeriu Aaron.

Não vou falar isso!, pensou Call de volta. *Se eu contar que gosto dela, ela vai rir de mim. Mas se eu não disser mais nada, talvez tudo isso acabe.*

Tudo que ele recebeu de Aaron foi silêncio. E mau humor.

— Eu gosto de você — disse Call, e Tamara empertigou as costas bruscamente. Ela e Devastação o olharam com surpresa. — Fiz escolhas ruins. Escolhas muito ruins. Tipo as piores escolhas que alguém já fez.

Não passe do ponto, meu velho. Aaron parecia alarmado.

— Eu queria o Aaron de volta — disse Call. Em sua cabeça, Aaron ficou em silêncio. — Você e Aaron... são os melhores amigos que eu já tive. E Devastação. Mas ele não julga.

Devastação latiu. O lábio de Tamara estremeceu um pouco, como se ela estivesse tentando não sorrir.

— Não quero pressionar você — disse Call. — Demore o tempo necessário para decidir como se sente. Só queria que você soubesse que sinto muito.

Tamara ficou em silêncio por um longo momento. Depois foi até ele e lhe deu um beijo no rosto. A energia zumbiu no corpo de Call e ele lutou contra a vontade de abraçá-la.

Eca, disse Aaron, mas de um jeito ameno.

Tamara recuou.

— Isso não quer dizer que eu perdoo você totalmente nem que nós voltamos ao ponto em que estávamos — disse ela. — Não estamos namorando, ok?

— Eu sei.

Call não esperava outra coisa, mas mesmo assim foi como levar um soco no peito.

— Mas nós *somos* amigos. — Os olhos dela brilhavam ferozmente. — Olha, agora cada um aqui acredita numa coisa diferente com relação a você. Eles não sabem nada a seu respeito agora, não sabem que Aaron foi trazido de volta. Sabem que o Mestre Joseph sequestrou você e sabem que você ajudou a derrotar Alex e ele.

— Que bom? — perguntou Call, com cautela. — Isso parece... bom?

— Mas agora todo mundo sabe que você está com a alma do Inimigo da Morte. Todo mundo sabe, Call. Não sei até que ponto eles vão entender que você *não* é ele.

— Eu poderia ficar nessa sala o ano todo. — Call olhou em volta. — Posso conseguir comida enfeitiçando mortadela, como o Mestre Rufus fez quando a gente chegou aqui.

Tamara balançou a cabeça.

— De jeito nenhum. Em primeiro lugar, não temos mortadela. Em segundo, nós vamos sair daqui e encarar. Você precisa levar uma vida normal como mago, Call. Precisa mostrar a todo mundo que você é só você, que não é um monstro.

Talvez eu nunca tenha uma vida como mago, pensou Call. *Deve ser isso.*

Em sua cabeça, Aaron continuou em silêncio. Call tinha quase certeza de que não deveria contar a Tamara sobre a sugestão de seu pai de não ir para o Collegium e abandonar totalmente o mundo dos magos. Ele próprio estava muito confuso.

— Certo — disse. — Concordo. O que você quer fazer primeiro? Ir à Galeria?

— Primeiro tenho que te entregar uma coisa — respondeu Tamara, surpreendendo-o. Em seguida, entrou no quarto dela, a trança balançando, e saiu trazendo... uma faca. A faca *de Call*, feita pela mãe dele, o cabo e a bainha decorados com padrões espirais.

— Miri — ofegou ele, pegando a arma de volta. — Tamara... obrigado.

Agora, se alguém no Refeitório ficar incomodando, você pode decepar a cabeça da pessoa, pensou Aaron, animado.

Call começou a engasgar, mas por sorte Tamara considerou que era emoção e lhe deu tapinhas nas costas até o soluço passar.

CAPÍTULO TRÊS

Ao entrar no Refeitório, Call teve uma sensação não muito diferente de um *déjà-vu*. O lugar era familiar, mas nada parecia muito certo. E percebeu que era porque reconhecia pouquíssimos alunos. Todos os mais velhos haviam ido embora. Ele não conhecia ninguém do Ano de Ferro, mal conhecia alguém do Ano de Cobre ou do de Bronze, e até os alunos dos anos de Ouro e de Prata que ele conhecia estavam muito diferentes. Alguns tinham o que parecia o começo de uma barba rala.

Call levou a mão ao rosto. Deveria ter se barbeado de manhã. Tamara provavelmente gostaria disso.

Foco, disse Aaron.

Se Aaron estivesse aqui, num corpo separado, teria se lembrado de fazer a barba. Daria forma ao pelos do rosto com confiança e habilidade naturais, e todo mundo iria admirá-lo por isso.

Vamos arranjar um corpo para mim logo, logo, disse Aaron.

Calma aí. *O quê?*, pensou Call.

Mas antes que pudesse analisar a ideia, Tamara deu um cutucão nele indicando a comida. Call sentira o estômago embrulhado ao longo da viagem até o Magisterium, então não tinha comido muito. Mas ter Tamara ao lado o fazia se sentir tão melhor que ele descobriu que estava com fome.

Pegou um pouco de líquen esverdeado, algumas fatias de cogumelo grande e uns bolinhos roxos, redondos, em molho azul.

Pegue uns bolos de nabo, disse Aaron. *São bons.*

Call nunca havia se interessado pelos pálidos bolos de nabo, que pareciam feitos de peixe cego, mas mesmo assim colocou alguns no prato. Pegando uma xícara de chá, acompanhou Tamara até uma das mesas vazias. Então pousou a bandeja e olhou em volta, como se desafiasse alguém a se aproximar.

Ninguém fez isso. Muita gente olhava para a mesa deles e sussurrava, mas ninguém chegava perto.

— Ei, ah... como está Kimiya? — perguntou Call finalmente, só para dizer alguma coisa.

Tamara revirou os olhos, mas, surpreendentemente, também riu.

— De castigo em casa. Vai ficar longe do Collegium um ano inteiro porque namorou com o Alex Suserano do Mal. E também por ter se juntado ao exército maligno dele.

— Uau.

Call levantou os olhos e viu três garotos do Ano de Ferro vindo até a mesa. Um garoto pálido de cabelo quase branco de tão louro, um de pele negra e cabelo cacheado e outro coberto de sardas.

— Ah, oi — disse o garoto pálido. — Sou Axel. Você é mesmo o Inimigo da Morte?

— É lógico que não! — respondeu Tamara.

— Bem — disse Call. — Eu estou com a alma dele, acho. Mas não sou ele. Não precisam ter medo de mim.

Os três garotos do Ano de Ferro haviam dado um passo atrás quando ele começou a falar, por isso Call não teve certeza se fora convincente. Os três o olhavam como se esperassem que ele mostrasse os dentes, quando Jasper surgiu atrás deles.

— Fora, seus pirralhos! — gritou, ao que os três gritaram e correram de volta para a mesa onde estavam.

Jasper soltou uma gargalhada. Estava com um corte de cabelo ainda mais estranho do que antes — espetado e desgrenhado ao mesmo tempo — e usava uma jaqueta de couro por cima do uniforme.

— Isso não ajuda — disse Tamara. — A gente precisa mostrar compreensão, e não assustá-los como se fossem criancinhas no Halloween.

Jasper fez uma careta.

— É bom ver vocês também! — disse, e foi na direção de Celia e da comida.

Call não conseguia deixar de olhar para Celia, que estava com uma faixa de cabelo no lugar das presilhas brilhantes que usava quando era mais nova. Antigamente ela havia sido uma amiga muito boa. Até quis *namorar* com Call. Agora nem olhava para ele.

— Oi!

Call se virou e viu Gwenda segurando uma bandeja. Ela se sentou diante deles e começou a comer calmamente. Call estava evidentemente surpreso. Ou Gwenda estava totalmente por fora das fofocas da escola ou não se importava com *nada*.

— E aí? — perguntou ela.

— Eu sou o Inimigo da Morte — disse Call, para o caso de ela não ter escutado.

Ela revirou os olhos.

— Eu sei. *Todo mundo* sabe. Uma pena o que aconteceu com o Alex. Ele era um gato.

— Ele não era um gato, ele era *do mal* — disse Tamara.

— Do mal, é. Todo mundo sabe disso, também — concordou Gwenda. E acenou para o outro lado do salão. — Kai! Rafe! Aqui!

Kai e Rafe estavam parados perto de uma enorme terrina de sopa. Os dois se entreolharam e deram de ombros antes de irem para a mesa. Ambos assentiram para Call antes de começar a comer.

— Jasper e Celia estão juntos de novo — disse Gwenda, sinalizando com o garfo.

Call acompanhou o olhar dela e viu que Jasper e Celia tinham mesmo levado as bandejas até uma mesa separada e estavam com os lábios grudados como dois aspiradores de pó. Jasper estava com as mãos no cabelo louro de Celia.

— Depois de toda a batalha na fortaleza do Mestre Joseph, Celia decidiu que Jasper era um herói — observou Rafe. — Amor instantâneo.

— Reataram instantaneamente, certo? — corrigiu Gwenda. — Celia tinha dado o fora nele antes.

Logo todos estavam conversando sobre quem tinha se separado ou se juntado na escola, quem eram os novos Mestres e que filmes passavam na Galeria. Aaron ficou quieto, ouvindo. Tudo parecia normal: tão normal que Call começou a relaxar.

Nesse momento, Celia se soltou de Jasper e cruzou o olhar com o de Call. Sua expressão era pura frieza. Jasper tentou atraí-la de volta, mas ela estava de pé e pisou firme até a mesa de Call.

— Você — disse ela rispidamente, apontando. Todo o salão ficou em silêncio, como se estivessem esperando por esse momento. — Você é o Inimigo da Morte, seu *mentiroso*.

Tamara saltou de pé.

— Celia, você não entende…

— Entendo sim. Entendo tudo! Ele mentiu para todo mundo! Constantine Madden era ardiloso e mau, e agora Call voltou para o Magisterium e Aaron Stewart está *morto* por causa dele.

Não é por sua causa, pensou Aaron baixinho. *Não dê ouvidos a isso.*

Mas Call não podia evitar.

— Celia — disse Jasper, vindo por trás dela e colocando as mãos em seus ombros. — Celia, vamos nessa. Call está mais para Amigo-Inimigo da Morte.

Mas ela o afastou bruscamente.

— Eu tenho parentes que ainda estariam vivos se não fosse você — disse Celia. — Constantine Madden matou todos. E isso significa que *você* os matou, como matou Aaron.

— Eu não matei Aaron — Call conseguiu dizer.

Seu rosto estava quente e o coração acelerado. O refeitório inteiro olhava para eles.

— É como se tivesse matado! O Inimigo da Morte é Dominado, e todos os capangas dele procuravam você. Estavam fixados em você. Você é o único motivo para algum deles ter estado no Magisterium.

Arrasado, Call não conseguia pensar em nenhuma resposta.

Não é culpa sua, disse Aaron, mas ele estava errado.

— Desculpe — respondeu Call finalmente. — Não me lembro de ser qualquer outra pessoa além de eu mesmo, mas faria qualquer coisa para ter o Aaron de volta. Faria qualquer coisa para que ele não tivesse morrido.

Celia pareceu perder o ímpeto. Olhou para as pessoas à mesa com Call, para Tamara. Os olhos de Celia tinham um brilho estranho, como se ela estivesse tentando não chorar.

— Você está tentando virar o jogo, fazer parecer que eu é que sou má — disse.

— Você se lembra de quando espalhou fofocas sobre o Aaron? — perguntou Tamara. — Você não é perfeita, Celia.

O pescoço de Celia ficou vermelhíssimo.

— Call é o *Inimigo da Morte*. É um monstro megalomaníaco, mas acho que, como ele não faz *fofoca*, tudo bem, né?

— Call é uma boa pessoa — reagiu Tamara. — É um herói. Por causa dele os capangas do Inimigo debandaram. Por causa dele Mestre Joseph está morto.

Esse fui eu que matei, disse Aaron, o que quase fez Call bufar e dar uma gargalhada de surpresa. Ainda bem que não o fez, caso o contrário Magisterium inteiro talvez desse razão a Celia.

— É um truque — disse Celia. — Eu sei que é, mesmo que todos vocês sejam idiotas demais para enxergar.

E com isso ela girou nos calcanhares e saiu do Refeitório pisando firme.

— A gente... é... ainda está resolvendo as coisas — disse Jasper, correndo atrás dela.

Call se levantou, também querendo ir embora dali. Todo mundo estava olhando para ele e tudo que Call queria era voltar para a sala de aula e ficar sozinho com Tamara e o Mestre Rufus. Não dava para continuar fingindo que tudo estava normal.

Um anúncio ecoou pelo salão:

— Todos os aprendizes devem ir para o hall de entrada principal. As aulas estão canceladas na primeira metade do dia em virtude de uma assembleia geral.

Frustrado, Call teve certeza de que isso tinha alguma coisa a ver com ele.

CAPÍTULO QUATRO

Parado no grande hall de entrada, Call se lembrou da primeira vez em que estivera ali, ouvindo o Mestre Rufus, o coração batendo com tanta força quanto agora. Lembrou-se de como havia ficado maravilhado com o piso de mica reluzente, as paredes de calcário, as estalagmites e estalactites enormes, o brilhante rio azul serpenteando pelo salão, fazendo com que as pessoas precisassem andar com atenção apesar de o lugar ser enorme.

Naquela época estivera preocupado com peixes cegos e se perder nos túneis. Agora essas pareciam as preocupações de uma pessoa totalmente diferente.

Tamara segurou sua mão e apertou, surpreendendo-o.

Isso significava que ela ainda gostava dele? Que eles poderiam ficar juntos de novo, afinal de contas? Jasper tinha voltado com Celia, e Jasper era um saco, então talvez Call tivesse uma chance.

Celia também é um saco, disse Aaron, o que, para ele, era uma maldade. *Ela não deveria ter dito aquelas coisas a você.*

— Achei que você gostava da Celia — disse Call, e Tamara o olhou com surpresa.

Ele tinha falado baixinho, mas não o suficiente.

— Eu gosto — reagiu ela. — Gostava. Mas dizer aquelas coisas a você... Tipo, ela estava insultando a todos nós, sabe? Eu sei que ela acha que somos capangas que passaram por uma lavagem cerebral. — Tamara ficou vermelha de raiva. — Por mim, ela que vá comer um peixe cego!

Mais e mais alunos se aglomeravam no hall de entrada. Call foi obrigado a chegar ligeiramente mais perto de Tamara, o que, para ele, estava ótimo.

— O que aconteceu com o lance de ser compreensiva?

— Dei um tempo nisso — respondeu Tamara. — Olha, a Celia poderia mudar de opinião, ela simplesmente é muito...

Um som parecido com um enorme gongo de metal ressoou pelo salão. Magia de metal. Presa ao quadril, Call sentiu Miri vibrar no mesmo tom. Houve um deslocamento de ar e de repente Mestre Rufus pairava acima de todos eles, olhando para baixo. Ao seu lado havia outros magos, professores conhecidos e desconhecidos. De um lado pairava Mestre North, do outro Mestre Rockmaple e a Mestra Milagros.

Call não via Mestre Rufus desde o campo de batalha. A lembrança causou um arrepio que subiu por suas costas. Call estivera muito perto da morte. E mais perto ainda de perder tudo que era importante para ele.

— Alunos — trovejou o Mestre Rufus, a voz amplificada por magia do ar. — Chamamos todos aqui porque sabemos que os boatos correndo por aí estão deixando vocês ansiosos. Este é de fato um tempo de grande instabilidade no mundo mágico. Mestre Joseph, um capanga do Inimigo da Morte, tentou destruir o mundo dos magos em nome de Constantine Madden e foi *derrotado.* — A palavra trovejou em desafio. — Todos nós conhecemos pessoas que passaram para o lado do Inimigo por egoísmo e medo.

Houve um burburinho. Call percebeu que algumas pessoas olhavam para Jasper e de repente veio a ele a lembrança, quase esquecida, de um guarda da Assembleia arrastando o pai de Jasper, com as mãos amarradas, para fora do campo de batalha.

— Agora muitos desses magos estão no Panopticon ou sob custódia da Assembleia. Peço que tratem com compaixão os que têm familiares sendo reabilitados. O desapontamento que sentem em relação aos entes queridos já é suficientemente grande.

O rubor de Jasper era intenso e ele baixou o olhar.

— Essa lição nos ensina que não podemos permitir que o medo nos governe — continuou o Mestre Rufus. — As fofocas, a suspeitas contra seus colegas aprendizes, tudo isso é fruto do medo. Mas o medo não tem lugar no coração de um mago. Foi o medo da morte que fez Constantine Madden agir como agiu. Quando o medo nos governa, esquecemos quem somos de verdade. Esquecemos de que somos capazes de fazer o bem.

Todos escutavam em silêncio.

— Talvez existam entre nós pessoas as quais vocês temem por não entendê-las — continuou o Mestre Rufus. — Mas Callum Hunt, o nosso Makar, ajudou a encerrar esse último capítulo do trágico legado do Inimigo da Morte. Na hora crucial ele se colocou ao lado da lei e da ordem, da bondade e da humanidade. O mal sempre surgirá, mas o bem sempre irá derrotá-lo. — Rufus cruzou os braços sobre o peito. — Uma salva de palmas para Callum Hunt.

Os aplausos foram fracos. Tamara largou a mão de Call para bater palmas, e lentamente outros a acompanharam. Não foi exatamente uma ovação, mas era alguma coisa. A salva de palmas cessou tão rapidamente quanto Mestre Rufus e os outros magos desceram ao solo e saíram do salão em passos majestosos, sinalizando que a reunião estava encerrada.

— Bem... e agora? — perguntou Call, ficando para trás enquanto os outros alunos saíam. Não queria atrair mais atenção.

Tamara deu de ombros.

— Temos tempo. Acho que poderíamos voltar para o alojamento.

— Certo.

Call estava com sentimentos dúbios. Ele queria ficar sozinho com Tamara, mas isso também o preocupava porque talvez ele não soubesse o que dizer. Afinal de contas, ela só não estava furiosa com ele graças ao discurso orientado por Aaron. E se ela gostava das coisas que Aaron dizia, talvez tenha sido dele que ela sempre gostara. Era o que Jasper tinha achado. Era o que Call também tinha achado, se fosse honesto consigo mesmo. Todo mundo gostava mais de Aaron do que de Call. Por que ela seria diferente?

Ela falou que gosta de você, disse Aaron, e Call se encolheu. Não era incômodo que Aaron ouvisse a maior parte das coisas que ele pensava, mas seria bom poder esconder os pensamentos que tivessem a ver com ele.

Bem, não é possível, disse Aaron.

Com um suspiro, Call caminhou pelos corredores do Magisterium, tentando se concentrar em não pensar. Talvez pudesse levar Devastação para outro passeio. O bicho gostava de passear.

Quando balançou a pulseira e a porta se abriu, Mestre Rufus os aguardava. Sentado no sofá, ele olhava para Call e Tamara por baixo das sobrancelhas fartas e expressivas.

— Bem-vindos de volta ao Magisterium — disse ele. — Espero que estejam felizes por estar aqui.

— É melhor do que o Panopticon — respondeu Call. — Foi um tremendo discurso.

— É. Também achei. Espero que os dois estejam prontos para a próxima lição. Vocês podem ter aprendido magia suficiente para passar pelo Portão de Prata, mas não aprenderam o mesmo conteúdo que foi passado aos outros grupos de aprendizes. Terão que correr para acompanhar os demais.

Call revirou os olhos.

— Que ótimo.

Ignorando o comentário, Mestre Rufus continuou:

— Como Tamara sabe muito bem, ao final do Ano de Ouro os alunos recebem prêmios que irão ajudá-los a avançar no Collegium e no mundo dos magos. Não há tempo para vadiar se vocês quiserem ganhar alguma coisa.

— O senhor deve estar brincando — disse Call. — Nada que eu faça no meu Ano de Ouro vai impedir que as pessoas pensem em mim como o cara que era o Inimigo da Morte.

— Talvez. Mas e Tamara?

Call olhou para ela, sentindo-se culpado.

— Ela vai se sair muito bem — respondeu, querendo que isso fosse verdade.

Pensar em Tamara sem receber todos os prêmios que merecia fez Call sentir-se péssimo. Ela havia sido a melhor nos testes do Julgamento de Ferro. Ela era a melhor em *tudo*. Se não vencesse, seria culpa dele. Não era de espantar que Call precisasse de Aaron para guiar suas palavras nesse sentido.

— Vou tentar — corrigiu Tamara, dando uma cotovelada em Call. — Nós dois vamos tentar.

Diga a ela que você vai se esforçar ao máximo, insistiu Aaron.

— Vou fazer o melhor que eu puder — disse Call, e Tamara e o Mestre Rufus o olharam com surpresa.

— Que bom ouvir isso. — O Mestre Rufus se levantou. — Estão prontos para ir?

Call levou um susto — não tinha percebido que a lição começaria *imediatamente*.

— Acho que sim — respondeu.

Call achou que Tamara estava olhando para ele de um jeito esquisito, mas assim que chegaram ao corredor ela começou a andar ao lado dele e até trombou em seu ombro, então talvez ele estivesse imaginando coisas. Mestre Rufus ia à frente, abrindo caminho pelos bandos de alunos que voltavam do saguão de entrada.

Logo passaram para um corredor menos cheio de gente, desceram uma escada com degraus de pedras naturais e desembocaram em uma caverna do tamanho de uma catedral. Uma piscina subterrânea azul reluzia no centro; Call havia se esquecido como o Magisterium podia ser estranhamente lindo.

— O que você acha que vai ser? — perguntou Call baixinho. — O que eu perdi?

— Você perdeu tudo — disse Tamara, mas sem rancor. — Mas bem, acho que pode ser controle melhor da magia do fogo, controle de tempestades, magia do clima, metalurgia, ou...

A perna de Call doía muito quando chegaram ao piso de seixos da caverna. A tal perna quebrada na infância e que nunca tinha ficado totalmente boa. Várias cirurgias depois, Call teve certeza de que isso jamais seria possível. Outros alunos já estavam presentes; Call reconheceu Gwenda, Celia, Rafe, Kai e Jasper, parecendo carrancudos. A Mestra Milagros também estava ali, e explicou rapidamente que eles seriam divididos em equipes. Ela designou Celia e Jasper como capitães.

— Que ótimo — murmurou Call para Tamara. — Agora nunca vou ser escolhido.

Celia foi a primeira e escolheu Rafe. Então foi a vez de Jasper. Ele andou para um lado e para o outro diante da fila de alunos que esperavam, como um sargento em um filme de guerra inspecionando uniformes dos soldados. Estava até com um dos olhos meio fechado e mastigava um charuto imaginário, gestos que Call achou exagerados.

— Escolha difícil, escolha difícil — anunciou Jasper finalmente, parando com as mãos às costas. — Muitos candidatos bons.

— Jasper, ande logo com isso — disse o Mestre Rufus. — É um exercício, e não um compromisso para o resto da vida.

Jasper suspirou, como se dissesse: *sempre incompreendido*.

— Callum Hunt — escolheu.

Houve um burburinho baixo. Até Tamara pareceu espantada. Call estava perplexo demais para se mexer, até que Tamara o cutucou nas costas. Quando se juntou a Jasper, todos os olhares estavam fixos nos dois.

Celia estava com o rosto vermelho de irritação. Jasper olhou para ela com tristeza.

— Ela não entendeu por que escolhi você — disse enquanto Call se juntava a ele.

— Nem eu — respondeu Call.

— É justo — continuou Jasper. — Considere como pagamento por você ter tomado a decisão certa no campo de batalha. E por todas as vidas que você salvou. Agora estamos quites.

Call levantou as sobrancelhas. Ser o escolhido por último era sempre chato, mas ser o primeiro escolhido não parecia uma recompensa suficiente por ter salvado vidas.

— Eu sei — explicou Jasper. — Eu não deveria ter feito isso. Por que sou sempre tão bondoso? Eu luto contra isso, mas meu espírito nobre sempre se adianta. Você não entenderia.

— Ninguém entenderia — disse Call.

Aaron riu.

Era a vez de Jasper de novo, e em rápida sucessão ele escolheu Gwenda, Tamara e Kai, enquanto Celia ficou com duas alunas do Ano de Ouro, Malinda e Cindy.

— Bem, isso vai ser um saco — disse Gwenda cheia de animação assim que todos estavam agrupados. — Jasper, no que você estava pensando?

— Ele estava sendo nobre — explicou Call.

— É porque ele quer ter na equipe alguém que faça com que ele pareça melhor — disse Tamara.

Jasper lançou um olhar de sofrimento para ela, mas não a contradisse.

— Equipes — disse a Mestra Milagros, atraindo a atenção de todos. Ela estava segurando uma cesta. — Quero que cada aprendiz pegue uma dessas hastes de metal e a enfeitice para encontrar outro metal. O Magisterium é rico em depósitos de metal. Vocês decidem qual tipo querem detectar. A equipe que encontrar mais depósitos dentro de uma hora vence.

Olhando para o Mestre Rufus, pareceu evidente que o professor esperava que levantassem a mão e perguntassem alguma coisa, tipo *como* enfeitiçar as hastes.

— Boa sorte! — disse a Mestra Milagros, e as duas equipes correram até ela para pegar os suprimentos.

O Mestre Rufus balançou a cabeça e Call sentiu que, mesmo antes de começar, ele talvez já tivesse fracassado em algum teste importante.

O metal era frio contra sua pele e mais pesado do que ele esperava.

— Certo — disse ele à equipe. — Agora... o que a gente faz?

Gwenda revirou os olhos e prendeu um cacho atrás da orelha.

— Está vendo, Jasper?

A gratidão de Call por Gwenda estar disposta a sentar-se com ele estava evaporando rapidamente.

— Eu estava na *cadeia* e depois fui *sequestrado* — reagiu Call rispidamente. — Não fiquei deitado numa praia bebendo baldes de refrigerante, sabe?

— Ouvi dizer que foi Tamara que sequestrou você — disse Kai, virando o olhar curioso na direção dela.

— Pelo bem da equipe — pediu Tamara — vamos simplesmente nos concentrar na tarefa?

— Ótimo — disse Gwenda. — Basicamente nós vamos transformar essas hastes em varas de rabdomancia para metal, em vez de para água. Concentrem-se no metal e pensem nas propriedades que vocês querem encontrar. Essas hastes contêm partículas de todos os outros metais, de modo que vocês podem fazer com que ela rastreie ouro, cobre, alumínio ou qualquer outra coisa.

— Nossa melhor chance é dividir os metais — sugeriu Tamara, o que foi mesmo inteligente.

Gwenda assentiu.

— Vou escolher tungstênio — disse ela. — Kai, pegue cobre. Tamara, você pega ouro e...

— *Eu* sou o capitão da equipe — lembrou Jasper. — Eu vou pegar ouro. Tamara pode ficar com a prata. O resto está bom. Call pode ficar com o alumínio.

Call nem tinha certeza de como era o alumínio propriamente dito, a não ser pelo papel alumínio comum que Alastair costumava usar para embrulhar sobras de comida. Mesmo assim, só lhe restava concordar.

— Ok.

Call começou a se concentrar na haste de metal em sua mão. Tentou pensar nela como uma varinha mágica. Afinal de contas, ainda que a realidade de um mago, em termos gerais, não tivesse nada a ver com o retrato dos magos na televisão, eles ainda balançavam varinhas e diziam *abracadabra*. Ele balançaria essa e ela iria guiá-lo na direção do metal mais entediante de todos. Talvez mais tarde desse para embrulhar um sanduíche de líquen.

Ele então se concentrou, tentando encontrar dentro do metal em sua mão algo que se parecesse com o papel que via sempre em casa. Concentrou-se numa luz prateada, reluzente, até sentir uma ressonância.

Você está conseguindo, encorajou Aaron.

Call sentiu movimento na haste. Ela se enrolou um pouco, depois ficou reta, quase como se o puxasse para frente. Call simplesmente obedeceu: era parecido com quando Devastação o arrastava pela guia. As vozes dos outros, cheias de empolgação e consternação, eram nítidas. Estavam todos trabalhando para encontrar seus metais. Call, por sua vez, sendo obrigado a seguir na direção do lago, imaginou se a haste iria arrastá-lo para baixo da água. Pelo que sabia, poderia haver depósitos de alumínio três metros abaixo do solo. Ele estremeceu de alívio quando a haste pareceu manobrá-lo para dar a volta em um pedregulho.

Foi preciso se espremer por um espaço estreito entre ele e a parede de rocha. Quando a tarefa estava começando a ficar ridiculamente claustrofóbica, um alargamento. Logo Call se viu em uma área um pouco maior do que uma cabine telefônica, com teto alto de catedral visível lá em cima. Ele olhou em volta. A haste agora estava imóvel, mas Call não viu nada que se parecesse com alumínio.

Cuidado, disse Aaron de repente, e Call saltou de lado justo quando uma coisa passou assobiando perto da sua orelha e bateu no chão. A coisa reluzia ligeiramente: era uma bola de algo que parecia nitidamente alumínio. Call observou aquilo por um longo momento.

— Isso acabou de...

— Callum Hunt.

Aquela voz áspera, meio sibilante, Call conhecia bem. Ele esticou o pescoço para trás e viu o lagarto de fogo agarrado à rocha acima da sua cabeça. As escamas preciosas de Warren reluziam e seus olhos de um tom dourado avermelhado giravam como cata-ventos.

— Um presente para você.

Warren tinha jogado aquilo? Call se abaixou e pegou a bola, então encarou o lagarto com o olhar cheio de suspeita.

— Por que está me ajudando? — perguntou.

Warren deu um risinho.

— Os velhos amigos se ajudam, é, os velhos amigos fazem isso. — Ele inclinou a cabeça. — Eu não esperava dois de vocês.

Acho que ele consegue sentir minha presença, pensou Aaron, parecendo meio nervoso.

— Call!

Quando Gwenda se juntou a ele no espaço estreito, Call quase deu um pulo.

— O que você... — Ela parou de repente, espiando Warren com os olhos arregalados. — Isso aí é um elemental do fogo?

— Esse é o Warren — respondeu Call. — É só um lagarto que eu conheço.

— Que falta de gentileza! — sibilou Warren. — Nós somos amigos.

— E ele fala — maravilhou-se Gwenda. — Como você o encontrou?

— Acho que você quer dizer como ele *me* encontrou — explicou Call. — Warren aparece quando quer. O que houve agora, Warren? Está precisando de um favor ou algo assim?

— Vim alertá-lo — respondeu Warren. — Andam falando muito no mundo dos elementais. Ouvi os elementais da água no rio e os elementais do ar no céu. Um novo grande surgiu.

— Um novo grande o quê? — perguntou Gwenda.

— Os elementais do metal falam dos gritos de Automotones — respondeu Warren.

— Mas Automotones está morto, ou no caos, ou sei lá o quê — disse Call. — Qual é, Warren. Você não está dizendo coisa com coisa.

Warren soltou um chiado de frustração.

— O fim está mais perto do que você imagina.

Gwenda quase largou sua varinha de metal.

— Sinistro esse papo, hein?

— Que nada — disse Call. — Ele sempre fala essas coisas.

— Call! — Era Tamara, parecendo preocupada. — Call, cadê você?

— Tantos amigos.

A língua de Warren saltou para fora da boca e lambeu seu próprio olho, um hábito que Call achava que o lagarto devia treinar quando estava sozinho.

Tamara saiu do espaço apertado, piscando na direção de Gwenda e depois de Warren.

— Ei. Pensei ter escutado você falando com alguém e...

A frase morreu aí, provavelmente porque Tamara percebeu como pegava mal achar incomum Call estar conversando com outra pessoa. Ainda que, infelizmente, talvez isso fosse verdade.

— O que está acontecendo?

— Nada de mais — respondeu Call ao mesmo tempo em que Gwenda dizia:

— O amigo aí, o lagarto bizarro, estava dando um alerta arrepiante.

Tamara cruzou os braços e olhou seriamente para Call.

— Ele disse alguma coisa sobre Automotones estar gritando ou algo assim — admitiu Call. — Mas eu falei que ele deve ter se enganado, porque Automotones está no caos. Aaron o mandou para lá quando a gente estava procurando meu pai.

Mandei mesmo. Aaron pareceu satisfeito.

Call se virou para fazer um gesto na direção de Warren, mas o pequeno elemental tinha sumido. Call ergueu as mãos em sinal de frustração.

— Ah, qual é! Warren? Volta aqui!

— Então é isso que acontece com vocês? — perguntou Gwenda. — Um lagarto esquisito aparece e de repente tudo fica torto e vocês estão lutando contra um elemental enorme, um exército tomado pelo Caos ou algo assim? Bom, vou dizer uma coisa: não estou nem um pouco a fim disso.

— Ninguém está pedindo sua ajuda — reagiu Call, mal-humorado, pegando a bola de alumínio.

Mas é meio assim que a coisa acontece, disse Aaron.

Nesse momento houve um som agudo, como um sino distante, seguido pela voz da Mestra Milagros chamando-os de volta. Mal tinham começado a procurar. Call não conseguiu acreditar que o exercício já havia terminado.

— Vocês acharam alguma coisa? — perguntou.

Tamara negou com a cabeça.

— Acho que não tem prata nesses túneis.

Gwenda pareceu meio presunçosa.

— Encontrei um veio de tungstênio na outra sala e marquei. Trombei com você quando estava começando a procurar mais um.

Os três se espremeram pelo túnel e encontraram Kai e Jasper empolgados, marcando num mapa o que haviam encontrado. Call notou que era o único, no entanto, que tinha uma amostra de metal. Esperava que isso fosse bom, mas quando mostrou o que conseguira ao Mestre Rufus, ele olhou perplexo para a bola de alumínio.

Malinda e Cindy tinham encontrado quantidades impressionantes de seus metais entranhados nas paredes. A equipe de Celia obviamente havia vencido, se bem que nenhum dos Mestres fez estardalhaço com isso.

— Agora que vocês encontraram tanto metal no Magisterium, amanhã iremos à biblioteca descobrir as propriedades de cada um deles — anunciou a Mestra Milagros. — Para que tipo de magia cada um desses metais é apropriado? E como vocês fariam uma arma com o que encontraram hoje? Queremos ver seus projetos e suas ideias.

Celia, obviamente esperando um prêmio em vez de outra tarefa, suspirou profundamente.

A Mestra Milagros continuou:

— Temos mais uma coisa a fazer hoje, algo que acontece muito raramente, mas que não deixa de ter precedentes. O Mestre Rufus e eu andamos discutindo o que seria mais útil para o aprendizado de vocês, e decidimos que Gwenda e Jasper se tornarão aprendizes do Mestre Rufus e eu vou tutelar alguns dos aprendizes órfãos dos Mestres que perdemos na batalha recente. Nesse momento todo mundo está um pouco sobrecarregado, e esse é um modo de ajudar.

Mais Jasper? Por que o universo me odeia?, pensou Call.

Tamara cruzou os braços. Call não sabia direito o que isso significava, mas pelo menos ela não estava pulando de alegria.

Mas Celia parecia estar fumegando. Provavelmente estava bem chateada por seu namorado ter sido transferido para outro grupo de aprendizes, e logo um grupo que tinha o Inimigo da Morte. Isso não melhoraria as coisas entre ela e Call.

— Jasper não fez muito segredo de que desde o início queria ser aprendiz do Mestre Rufus — disse Gwenda. — Mas por que eu?

— Não lembra? — respondeu a Mestra Milagros. — Você pediu para ser trocada de grupo.

Por um momento Gwenda pareceu prestes a sufocar, e de repente Call se lembrou de como ela havia entrado nos aposentos deles muito tempo atrás para reclamar que Jasper e Celia estavam sempre se agarrando. Ela havia perguntado se eles poderiam convencer o Mestre Rufus a aceitá-la como aprendiz. Pelo jeito eles não eram os únicos com quem Gwenda havia falado sobre isso.

— Mas aquilo foi no Ano de Bronze! E definitivamente eu não queria ficar num grupo *com o Jasper* — disse Gwenda.

A frase resumiu tão perfeitamente os sentimentos de Call que ele não conseguiu deixar de pensar que talvez fosse divertido tê-la como colega de alojamento.

Mas, gostando ou não deles, ter novos aprendizes no grupo seria estranho. Desde sempre havia sido ele, Tamara e Aaron. E, mesmo que Tamara não soubesse, ainda era assim. Além disso, Call tinha assuntos importantes para resolver com Tamara. Como iria reconquistá-la tendo Jasper por perto o tempo todo? Como eles arranjariam tempo para conversar?

Como você vai dar um jeito de falar sobre mim?, perguntou Aaron, e nesse pensamento havia uma coisa que fez Call se lembrar de que, para Aaron, podia parecer que ele estava sendo substituído.

— Jasper e Gwenda, vocês vão se mudar para os aposentos de Tamara e Call, por isso peguem suas coisas e vamos reenfeitiçar suas pulseiras — disse o Mestre Rufus. — Esta noite vou me encontrar com vocês para determinar quais são seus pontos fortes e fracos.

Jasper parecia chocado. Havia passado seu Ano de Ferro tentando entrar para o grupo de aprendizes do Mestre Rufus, o mago professor mais famoso e com a habilidade de escolher aprendizes que fariam coisas importantes — para o bem ou para o mal. Ele tinha sido tutor de Constantine Madden, mas também de membros proeminentes da Assembleia e de magos do Collegium. Agora Jasper teria finalmente sua chance. Call se perguntou se ele ainda queria isso.

— Certo — disse Jasper lentamente, como se ainda estivesse tentando processar o que estava acontecendo.

Gwenda o empurrou para fazerem as malas. Celia foi até a Mestra Milagros, provavelmente para reclamar. Call decidiu que era melhor voltar para o quarto e garantir que Devastação estivesse bem comportado para receber a mudança.

Tamara o acompanhou.

— Bem — disse ela. — O que você achou do aviso do Warren?

Com tudo que estava acontecendo, essa era a última coisa que Call esperava que ela dissesse, mas Tamara era uma pessoa que raramente se deixava distrair do que era importante.

— Será que Automotones pode ter mesmo escapado do vazio? — perguntou Call, apesar de não esperar de fato uma resposta.

Não, disse Aaron. *Impossível.*

— Não sei — respondeu Tamara. — Mas a gente pode ir hoje à noite até a biblioteca e pesquisar. Talvez tenha existido outro elemental como Automotones.

— Tipo um primo dele? E você acha que talvez os amigos do Warren tenham confundido os dois porque Automotones é o famoso?

Tamara lançou um olhar de aborrecimento.

— Aham, óbvio — disse. — Porque Automotones está em todas as revistas de fofoca do mundo dos elementais...

Aaron deu um risinho. *Essa foi ótima.*

Ah, cala a boca!, pensou Call, percebendo uma coisa que quase deixara passar.

— Nós vamos à biblioteca hoje à noite?

Tipo um encontro? Um encontro misturado com estudo?

Tamara assentiu.

— Acho melhor a gente checar, só por garantia. Warren é um chato, mas já esteve certo antes. — Ela pôs a mão no queixo. — Vamos precisar de ajuda para fuçar em todos aqueles livros. Jasper pode servir. Afinal de contas ele é nosso novo colega de quarto.

Estudo sem encontro, percebeu Call. Aaron imitou Zazu, de *O Rei Leão*, e começou a cantar "tenho uma dúzia de cocos tão bonitiiiinhos" enquanto os dois seguiam pelos corredores da caverna, só para animá-lo.

CAPÍTULO CINCO

A mudança não demorou muito, Gwenda gostava de cachorros e, para surpresa de Tamara e Call, tanto ela quanto Jasper concordaram em acompanhá-los à biblioteca naquela noite, antes de irem se encontrar com o Mestre Rufus. Gwenda parecia curiosa, e Jasper — bem, Call nunca tinha certeza das motivações de Jasper em relação a qualquer coisa. O garoto pareceu desolado ao ver Celia indo para a Galeria com metade da turma do Ano de Ouro, mas logo se recompôs e acompanhou Call e Tamara.

A biblioteca era um dos locais prediletos de Call no Magisterium, não porque ele fosse particularmente fã de livros, mas por ter vivido muitos momentos bons com Tamara e Aaron naquele salão. Agora ele, Tamara, Gwenda e Jasper passaram sob a inscrição que dizia "O CONHECIMENTO É GRÁTIS E NÃO ESTÁ SUJEITO A REGRAS", e tomaram lugar a uma das compridas mesas de madeira no centro da sala.

— Certo — disse Tamara, tomando a dianteira. — Estamos procurando o seguinte: informações sobre Automotones; e será que existem outros elementais como ele? E também sobre o caos: alguma coisa já retornou de lá? Sabemos alguma coisa sobre o reino do caos?

— *Você* não sabe? — perguntou Gwenda, olhando para Call. — Quero dizer, você é o mago do caos.

Ele balançou a cabeça.

— Não. Não faço ideia. Eu posso mandar coisas para lá, mas não tenho nenhuma ideia do que existe do outro lado.

O grupo se dividiu e partiu para corredores diferentes da biblioteca; Call foi parar na seção de magia do caos. Sentiu-se culpado ao perceber que havia um monte de livros que provavelmente já deveria ter lido: livros sobre a história dos magos do caos, o significado dos contrapesos e a descoberta da magia do caos. Ele estava estendendo a mão para alcançar *Alma e Vazio: Teoria Preliminar*, quando Aaron falou:

Preciso de um corpo. Não posso ficar na sua cabeça para sempre.

Call se apoiou na estante. Ele sabia que isso iria acontecer. Seria um alívio voltar a ficar sozinho com seus próprios pensamentos, mas, mesmo assim, a fala pareceu uma certa rejeição. Além do mais, ele não tinha ideia de como conseguir isso.

— Não é tão fácil conseguir um corpo — murmurou.

Talvez alguém morto?

— Não podemos usar um cadáver. Até parece que você não se lembra do que aconteceu da última vez, Aaron. Você ficou todo esquisito com um cérebro que já havia estado morto. E isso porque empurramos sua alma de volta para o corpo que era *seu*. Imagine como seria com um cadáver qualquer? — Ele fez uma pausa. — E nem adianta falar em bebê. Foi o que aconteceu comigo. Você perderia todas as suas lembranças. Seria outra pessoa. Uma pessoa pequenininha e impotente.

Não quero ser um bebê. Aaron pareceu chocado. *E definitivamente não quero empurrar a alma de um bebê para fora.*

— A gente poderia ir ao hospital — disse Call, percebendo como essa conversa estava mórbida. — Encontrar alguém que esteja perto de morrer.

Mas eu não acabaria morrendo se entrasse no corpo de um moribundo?

— A gente poderia consertar a pessoa com magia, não? — sugeriu Call, mesmo sabendo que não era uma ideia realista: nenhum deles conhecia magia curativa a esse ponto.

Nesse caso a gente provavelmente deveria curar a pessoa e deixar que ela vivesse. A nobreza de Aaron era irritante, mas para Call era prova de que ele estava bem. Era prova de que Aaron estava vivo e não era um monstro morto-vivo assustador, e havia uma grande parte de Call que queria desistir sem sequer tentar, mesmo que isso significasse ter Aaron para sempre dentro do próprio crânio.

— Se você continuar detonando todas as minhas sugestões, vai continuar preso aqui — lembrou Call.

Um som de risada veio de um corredor próximo. Call olhou em volta, preocupado com a possibilidade de alguém tê-lo escutado falar sozinho. Foi quando viu Tamara sentada em cima da mesa, balançando as pernas, com Jasper ao lado, aparentemente dizendo alguma coisa engraçada. Call estreitou os olhos.

A gente vai pensar em alguma coisa. Aaron parecia desesperado.

A gente poderia matar alguém, pensou Call, os olhos se estreitando ainda mais quando Tamara ria a cada gracinha de Jasper, que estava todo metido a besta. Sem dúvida eles estavam flertando. *A gente poderia matar o Jasper, por exemplo.*

Não vamos matar o Jasper. Não quero ser assassino.

Você matou o Mestre Joseph, pensou Call, e ficou surpreso consigo mesmo porque era algo que ele não teria dito a Aaron em voz alta. Call não queria mencionar nada do que tinha acontecido naquele tempo horrível. Mas pelo jeito não conseguia parar de pensar. *Você praticamente arrancou a cabeça dele como um tomate...*

Eu não era eu, protestou Aaron. Call não disse nada. Ouviu Tamara rir de novo, mas não teve coragem de olhar. Ele não tinha qualquer direito sobre ela. Ela poderia namorar Jasper se quisesse, ainda que esse pensamento fizesse Call ter vontade de esmagar a própria cabeça numa estalactite.

Também não havia sentido em ficar com raiva de Aaron. Nada disso era culpa dele. Era culpa do Mestre Joseph. Culpa de Alex Strike. Culpa de Constantine Madden. E culpa do próprio Call.

Acho que pular de um corpo para outro sempre vai ser assassinato, pensou Aaron, sombrio. *A gente sempre vai matar a alma de outra pessoa. Por isso é uma coisa maligna. Por isso todo o negócio do Inimigo da Morte era errado. Acabou provocando um monte de mortes em vez de revertê-las.*

Acho que sim. Call levou *Alma e Vazio: Teoria Preliminar* até a mesa onde Gwenda já havia se juntado a Tamara e Jasper. Eles estavam conversando sobre Automotones, Tamara e Jasper contando a Gwenda sobre a batalha no velho depósito de carros de Alastair, especialmente o heroísmo de Devastação.

Você se lembra?, pensou Call, mas Aaron ficou em silêncio.

Não era justo. Ele se sentia mal por ter magoado os sentimentos de Aaron, mas era impossível não pensar em coisas idiotas, horríveis. Call não conseguia impedir que elas flutuassem na superfície da sua mente o tempo todo. No passado, ele mal se continha para não dizer em voz alta seus piores pensamentos; como iria se impedir de pensá-los? E então Aaron resolveu se esconder em seu subconsciente e não revelar nada. Talvez os pensamentos de Aaron fossem piores ainda do que os de Call, mas Call jamais saberia.

Escutou a voz de Gwenda sentada diante da mesa cheia de livros:

— Então o Call arrastou vocês até um enorme cemitério de carros procurando o pai dele e aí um elemental atacou vocês, e Call *continuou* não dizendo que ele era o Inimigo da Morte?

— Acho que era difícil dizer em voz alta — respondeu Jasper, surpreendendo Call. — Provavelmente ele nem tinha certeza se a gente acreditaria. Ou não. É óbvio que na hora eu ia fingir que sim, já que eu estava sendo sequestrado e a gente nunca deve chamar o sequestrador de maluco.

— Você vive sendo sequestrado — disse Gwenda, incrivelmente antipática.

— Agora que você mencionou... É mesmo — concordou Jasper. — Por que estou defendendo o Call de novo? Ele é o *motivo* para eu viver sendo sequestrado.

— Porque vocês são superamigos? — disse Gwenda, parecendo confusa. — Você é o ajudante dele. Bem, um dos ajudantes.

— Tem razão — disse Tamara. — Na verdade, Devastação é o ajudante principal.

— Não, não, não, não, não! — reagiu Jasper, obviamente chocado. — Não acredito que você pensou em mim nesse papel. Eu sou rival dele! Call e eu sempre batemos de frente em matéria de guerra e paz. Estamos sempre empatados! Sou rival dele!

— Se você diz... — observou Gwenda.

Mesmo contra a vontade, Call precisou sorrir.

Gwenda olhou seu relógio.

— Precisamos encontrar o Mestre Rufus — disse, parecendo aliviada. — O que eu acho ótimo, porque esse negócio é meio chato. Não acredito que estamos aqui porque um lagarto deu uma dica.

— Warren já esteve certo antes — insistiu Call, em dúvida se estava defendendo Warren ou a si mesmo. — Vamos levar esses livros para o alojamento e continuar examinando até encontrar alguma coisa.

— Como quiser. — Gwenda estalou os dedos na direção de Jasper, que parecia incrédulo. — Anda. O tempo urge.

— As pessoas estalam os dedos para *cachorros* — protestou Jasper, saindo da sala atrás de Gwenda. — Não vem com essa, ok?

Gwenda estalou os dedos de novo, rindo, e os dois se foram, sob protestos de Jasper.

Balançando a cabeça, Tamara dividiu os livros com Call.

— Talvez a gente esteja paranoico. Talvez Warren não tenha falado a sério.

— Bem, não dá para culpar a gente depois de tudo que passamos.

Call queria Aaron se manifestando outra vez, oferecendo a coisa certa a dizer para Tamara, que parecia cansada e preocupada, mas ele continuava teimosamente escondido.

Tamara baixou a cabeça.

— Acho que não.

O que ela estava *pensando*? Call queria bater com a cabeça numa parede, mas tinham chegado ao alojamento e Tamara logo abriu a porta com a pulseira. Os dois largaram os livros na mesa. Call estava prestes a sugerir que fossem até a Galeria comer alguma coisa quando Tamara pegou o *Alma e Vazio* e olhou a contracapa.

— "O oposto do caos" — leu Tamara em voz baixa — "é a alma humana". — Ela engoliu em seco. — Call, eu... sinto muito. Não por ter dito para você não trazer o Aaron de volta, mas por não ter tentado entender melhor seus motivos para achar que isso era necessário. Todo mundo estava dizendo que você era responsável pela morte dele. Todo mundo estava tratando você como culpado. Você deve ter sentido que o único jeito de consertar as coisas era trazê-lo de volta.

Call sentiu que provavelmente era má ideia ser honesto. Mas já não sabia mais o que fazer, nem o que dizer.

— Eu não queria trazer o Aaron de volta para me sentir melhor. Quero dizer, ok, eu me sentia culpado, mas ao mesmo tempo eu também tinha medo de fazer isso. Eu estou sempre preocupado com o que pode acontecer se eu não estiver me vigiando o tempo todo, sempre alerta para garantir que não fique totalmente mau. Mas o Aaron era meu amigo e acreditava em mim, e eu não queria que ele morresse. Só isso.

Os olhos de Tamara brilharam como se ela estivesse contendo as lágrimas.

— E eu simplesmente fui embora — disse ela. — Você deve ter pensado que eu não acreditava em você... Eu percebi meu erro no minuto em que cheguei de volta ao Magisterium. Achando que os magos iriam nos salvar, que a Assembleia ajudaria, que eles eram adultos e que nós éramos crianças. Só que eles também são humanos, também têm seus defeitos. Não podem consertar tudo.

— Ninguém pode consertar tudo. — Call viu que Tamara estava tão triste que sentiu uma vontade desesperada de abraçá-la, mas será que ela gostaria? — Você não tem culpa de ter confiado neles...

— Eu confio em *você*. Você é meu amigo, Call, e eu...

— Não quero ser só seu amigo.

Ela o encarou com os olhos arregalados, como se não conseguisse acreditar que ele havia dito isso. Call sentia o coração martelando em todo o corpo. Ele mesmo não acreditava que havia dito aquilo.

— Me desculpa, mas é verdade. Eu gosto de você, Tamara. Na verdade eu...

Tamara ficou nas pontas dos pés e beijou Call. Um relâmpago pareceu eletrificar todo o corpo dele. Quando se beijaram pela primeira vez, ele havia ficado atônito demais para esboçar uma reação de verdade, mas nesse momento ele a envolveu com os braços, como tinha desejado fazer antes. Tamara o abraçou de volta e a sensação era incrível. Ela acariciou gentilmente o rosto dele durante o beijo, o que foi ainda mais espantoso. Ela cheirava a rosas e Call teve quase certeza de que aquele era o melhor beijo que qualquer pessoa já provara, sem dúvida um dez olímpico em beijo, se beijo fosse uma categoria olímpica.

ECA! EU AINDA ESTOU AQUI! O grito de Aaron, aparentemente horrorizado com o beijo, ressoou na cabeça de Call, fazendo-o se afastar de Tamara.

— Call? — perguntou Tamara, confusa.

Ela o olhava com um sorriso sonhador. Call teve vontade de beijá-la novamente, mas ela provavelmente ficaria com muita raiva quando ficasse sabendo sobre Aaron.

— Ah — disse Call, procurando alguma coisa, algum motivo para parar e que significasse que poderiam recomeçar mais tarde. — Acho que estamos indo rápido demais. Acho que precisamos... — Pronto, os pensamentos o abandonaram.

PARAR, disse Aaron.

— Parar — ecoou Call.

Tamara piscou para ele, parecendo magoada.

— Certo — disse ela, em voz baixa. — Mas achei que era isso que você queria.

— Eu quero! — respondeu Call, talvez um pouco ansioso demais. — Quero mesmo, de verdade. É só que...

Eu acho que a gente deveria... é... dar um tempo para garantir que está certa disso, disse Aaron.

Call repetiu as palavras. Pareciam boas. Sensatas. Maduras. Mas Tamara estava olhando para ele de um jeito esquisito outra vez.

Para garantir que estamos construindo isso sob um alicerce de confiança, disse Aaron.

Call também repetiu isso, tentando dar convicção às palavras, tentando ser a pessoa que acreditava nelas. Tamara cruzou os braços e o encarou com os olhos estreitados.

— Parece o Aaron falando — disse ela.

— Isso é bom, não é?

— É alguma coisa — respondeu ela, o que não pareceu totalmente uma concordância. — Acho que nós dois sentimos falta dele, cada um a seu modo. — Ela pôs a mão quente em seu rosto. — Boa noite, Call.

E com isso foi para o quarto. Call fez o mesmo e se jogou em sua cama pequena. Devastação pulou junto, fazendo um círculo antes de se sentar direto nos pés de Call, que sequer foi capaz de reunir energia suficiente para se incomodar.

Por um tempo as coisas fluíram tão bem com Tamara que ele quase se esquecera desse outro segredo. Ela já havia suportado tanta coisa... Será que sequer acreditaria nele?

Call, disse Aaron. *Precisamos conversar.*

Sei o que você vai dizer. Call olhou para o teto de mica brilhante, lembrando-se de como havia sido incrível aquele momento de intimidade em que nada mais importava. *Que eu simplesmente deveria confiar nela. E eu sei que deveria. Que deveria contar a ela. Mas tudo que eu quero é que as coisas sejam normais.*

Não é isso. Eu encontrei uma coisa na sua cabeça. Uma coisa... esquisita.

Uma coisa na *cabeça*? Atingido por um cansaço gigantesco, Call fechou os olhos. O que quer que Aaron soubesse, ele não queria ouvir. *Agora, não*, disse. *Outra hora, por favor.*

CAPÍTULO SEIS

Call sonhava. Ele era um mago adulto e estava em uma cidade que não reconhecia. Quando levantou as mãos, um relâmpago preto — relâmpago do caos — saltou entre elas. Call sentiu uma grande certeza e um poder avassalador. A sensação lembrava o caos percorrendo seu corpo, só que agora ele sabia como canalizar.

Ser Constantine Madden deve ter sido assim.

O fogo preto saltou de seus dedos. Era como se ele fosse Zeus; seria fácil incendiar o mundo inteiro. Ele conduziu o fogo destruidor, golpeando outros magos que tentavam fugir. Mais fogo irrompia dos tetos das construções. Uma torre de pedra queimava. Call não tinha contrapeso, mas isso não importava. Nada importava. Nada importava, a não ser o poder.

↑≋△○@

Sentou-se, ofegando. O cabelo estava grudado na testa com o suor. Demorou um tempo enorme para se lembrar de quem ele era e onde estava — na própria cama, no Magisterium.

Chutou as cobertas, esperando que o choque do ar frio o acordasse e afastasse ainda mais o sonho. Tinha sido horrível, de um jeito maravilhoso...

Você está bem? Aaron parecia preocupado.

Acho que sim. Quero dizer, estou. Foi só um pesadelo.

Foi Constantine, disse Aaron. *As lembranças dele. Tem de ser.*

Já tive sonhos esquisitos antes. Eles não necessariamente significam alguma coisa.

Desculpe o que eu fiz antes, disse Aaron. *Você precisa escutar o que descobri, ok? Depois talvez a gente consiga deduzir como enfrentar... os beijos... enquanto eu ainda estiver aqui.*

Call suspirou.

— Provavelmente não beijando — disse Call, melancólico. Pelo menos em seu próprio quarto era possível falar em voz alta com Aaron sem que alguém pensasse que ele estava maluco. — Certo, manda ver.

Tem alguma coisa trancada aqui dentro, explicou Aaron. *Não sei como descrever, mas é como um espaço grande com janelas. Eu posso olhar através delas e, então, é como se estivesse olhando pelos seus olhos. Existem correntes, emoções, que passam por mim, e seus pensamentos são como palavras na minha mente. Mas antes, quando estávamos sem nos falar, foi como se eu batesse contra uma porta fechada. No meio da sala. Tem alguma coisa fechada dentro dela.*

— Tipo uma lembrança reprimida? — perguntou Call, perplexo.

Acho que são as lembranças de Constantine. Acho que alguém as trancou aqui, para você não ter acesso a elas.

— Por que alguém faria isso?

Não sei. Aaron parecia frustrado. *Talvez por você ser bebê quando ele pulou dentro do seu corpo, sua mente não tenha sido capaz de lidar com todas as informações, por isso elas foram trancadas.*

Isso fazia algum sentido.

— Ou talvez elas me fizessem perceber que eu era um adulto preso no corpo de um bebê. Talvez ele tenha achado que isso me deixaria louco, não é?

Não sei, mas acho que a gente deveria abri-las.

Call estava de pé e fora da cama, balançando a cabeça, mesmo sabendo que Aaron não podia vê-lo.

— Não. Não!

Por quê?

— Durante todo o tempo em que eu estive com o Mestre Joseph, toda vez em que eu estava perto de Anastasia Tarquin, tudo que eles queriam era que eu me lembrasse de ser Constantine Madden, porque achavam que essas lembranças... não sei... iriam *se sobrepor* às minhas. Mas e se elas me fizerem deixar de ser eu?

Aaron ficou em silêncio por um longo tempo. *Pensei que elas seriam apenas lembranças, algo parecido com ter a mim dentro da cabeça. Eu ainda sou eu, apesar de ouvir os seus pensamentos.*

— Mas a alma de Constantine era a *minha* alma. Talvez as lembranças pareçam ser minhas. Mas, mesmo que não pareçam, e se elas forem muito, muito ruins?

Call percebeu que estava com medo de algo mais do que apenas a possibilidade de se transformar em Constantine. Medo de enfrentar todas as coisas horríveis que Constantine havia realmente feito. E se Call se lembrasse de cada coisa feia, medonha? E se tivesse de se lembrar da morte de sua própria mãe?

Acho que não pensei em nada disso, observou Aaron. *Mas se você quiser olhar as lembranças, eu estarei aqui com você. E vou fazer todo o possível para garantir que você continue sendo quem é, ok?*

Call se sentiu covarde.

— Eu vou pensar a respeito.

Era cedo, mas ele sabia que não conseguiria voltar a dormir. Em vez disso, se levantou, pegou a toalha e uma roupa e foi para o banheiro, Devastação atrás. Tomou um banho rápido enquanto Devastação estourava bolhas de sabão com a língua, espirrando e depois rosnando para elas.

Quando saiu do chuveiro, levou um susto ao ver Jasper, sem camisa, fazendo flexões na área compartilhada do alojamento.

— O que você está fazendo? — perguntou.

— Me preparando para o dia de hoje — respondeu Jasper, como se Call fosse o esquisito. — Entrando na postura mental correta para a magia.

— Ah. Claro.

Quando voltou do passeio com Devastação, Gwenda e Tamara já estavam de pé. A primeira tinha uma boina de seda roxa por cima dos cachos e Tamara bocejava ao levar a pasta de dente para o banheiro. A ficha de que Jasper e Gwenda eram mesmo os novos colegas de quarto de Call e de que faziam parte do mesmo grupo de aprendizes estava começando a cair, e Call ainda não tinha certeza de como se sentia em relação a isso. Pelo lado positivo, pelo menos eles não tinham surpreendido Call e Tamara se beijando.

Call havia acabado de colocar ração para Devastação quando a porta se abriu e o Mestre Rufus entrou.

— Hoje, aprendizes, vamos continuar a aprender sobre metais, tanto de uma perspectiva científica quanto de uma perspectiva mágica. Call. Você vai se juntar a nós depois de se encontrar com um membro da Assembleia.

— Isso não parece bom — disse Call.

— É um encontro informal, e o Sr. Rajavi me garantiu que você ficará muito pouco tempo longe das aulas.

O Mestre Rufus não parecia particularmente preocupado, o que era tranquilizador. E Call conhecia o Sr. Rajavi. Talvez não fosse algo tão ruim.

— Meu pai está aqui? — perguntou Tamara.

— Ele mandou lembranças a você, Tamara. Lamentou não poder encontrá-la, mas há regras proibindo visitas a aprendizes.

A não ser que esse aprendiz fosse um Makar que também podia ser um Suserano do Mal. Aí você recebia um monte de visitas.

— Call, o Sr. Rajavi estará esperando por você na minha sala. Vou acompanhar os outros até o Refeitório.

E em seguida eles saíram, deixando Call para comer um pouco de cereal e ir sozinho até a sala do Mestre Rufus.

Call pegou o caminho que seguia junto a um dos muitos rios subterrâneos do Magisterium. A água reluzia num azul fantasmagórico à luz do musgo. No caminho ele espiou em volta, procurando Warren. Até chamou algumas vezes o nome do lagarto, a voz ecoando nas cavernas. Tinha certeza de que iria encontrá-lo durante a curta travessia de barco, mas quando chegou à outra margem percebeu que Warren o estava evitando.

Quando chegou à porta de Rufus, bateu e escutou a voz do Sr. Rajavi ecoar lá dentro.

— Entre.

A sala tinha praticamente a mesma aparência de sempre. Os mesmos papéis grudados nas paredes, cobertos com o que agora Call reconhecia serem equações alquímicas. O grande sofá havia sumido, substituído por mais estantes de livros, e a velha estação de trabalho fora substituída por uma feita de material translúcido e brilhante: quartzo, supôs Call. O pai de Tamara estava sentado atrás da mesa de tampo corrediço.

Ah, meu Deus, pensou Call. *O pai de Tamara.* E ele tinha acabado de beijar Tamara. Seria por isso que o Sr. Rajavi estava aqui?

Não seja ridículo, disse Aaron. *Você acha que ele é paranormal ou algo assim?*

Kimiya estava de castigo por ter namorado com o Alex Suserano do Mal — pelo menos era o que Tamara dissera. O Sr. Rajavi tinha uma política bem estabelecida de não gostar que suas filhas namorassem Suseranos do Mal.

Call sentou-se na cadeira diante da mesa, com os olhos arregalados. O Sr. Rajavi o encarou sem sorrir. Usava um terno preto, parecendo caro, e um grosso relógio de ouro num pulso. Sua barba estava perfeitamente aparada.

Preciso dizer uma coisa sobre Tamara, pensou Call.

Não precisa nem um pouco, disse Aaron, parecendo alarmado.

Preciso tranquilizá-lo, protestou Call.

Tranquilizá-lo de quê? Você BEIJOU Tamara. Só fique de boca fechada, Call.

— Minhas intenções são honrosas! — disse Call bruscamente.

Queria falar mais, porém Aaron tinha provocado um zumbido furioso em sua cabeça, parecendo uma abelha gigante.

O Sr. Rajavi piscou.

— Isso é bom, filho. É bom ouvir que, apesar de ter a alma de Constantine Madden, você quer levar uma vida honrada.

Essa foi por pouco, murmurou Aaron, que ao menos tinha parado com o barulho de abelha. Call se remexeu na cadeira, sentindo-se desconfortável.

— Vou direto ao ponto — disse o pai de Tamara. — Sua mãe, Anastasia Tarquin, andou perguntando por você.

— Ela não é minha mãe. — Uma onda de raiva atravessou Call, apagando o embaraço anterior. — Ela era mãe de Constantine Madden, e eu *não sou ele*.

O Sr. Rajavi deu um pequeno sorriso.

— Gosto da sua convicção. E sei que minha filha o considera muito. Mas comecei a suspeitar das pessoas que minhas filhas estimam.

Talvez você devesse *contar a ele que beijou Tamara*, disse Aaron. *O cara é um sacana.*

Ele sempre foi assim. Você nunca percebeu porque ele não agia dessa forma com você.

Call se sentiu instantaneamente mal por ter pensado isso, mas não quis deixar que o silêncio se estendesse demais enquanto tentava explicar coisas a Aaron.

— Se o senhor está falando de Alex Strike, também estou feliz por ele ter morrido — disse Call bruscamente. — Mas não quero ver Anastasia.

— Ela está no Panopticon. A sentença saiu esta tarde. Foi condenada à morte.

A notícia foi um choque para Call. Ele tentou não demonstrar, mas suas mãos apertaram os braços da cadeira. Talvez devesse de fato vê-la, mas tentar se imaginar de volta no Panopticon, do outro lado do vidro mágico, era medonho. Além disso, ele não tinha nada a dizer a Anastasia. Não podia ajudá-la. E não queria continuar fingindo que estava tudo bem quando ela o chamava de Constantine.

Pensou nas lembranças que Aaron havia encontrado trancadas em sua cabeça. Talvez estivessem ali alguns dos sentimentos que Anastasia esperava encontrar. Mas isso só o deixou mais decidido a não destrancar essas lembranças.

— Eu preciso ir? — perguntou.

— Evidente que não. — O Sr. Rajavi pareceu aliviado com a ideia de que Call realmente estava recusando. Talvez ele também não quisesse ir ao Panopticon. — Se você mudar de ideia, diga ao Mestre Rufus.

Call se levantou, presumindo que a reunião havia terminado, mas o Sr. Rajavi ficou onde estava. Depois de um momento incômodo, Call se sentou de novo.

— Há mais alguma coisa?

— Uma oferta. Logo você vai se formar. Assim que terminar o seu Ano de Ouro, será um mago de verdade, muito poderoso, um Makar. Quero que você vá para o Collegium. Vou garantir que você seja aceito nos melhores programas de lá. Vou abrir o caminho para que você se torne um mago muito importante, talvez até membro da Assembleia, um dia. Mas queremos que você pare de usar magia do caos, a não ser com a permissão explícita da Assembleia. Queremos que seja o *nosso* Makar.

Call ficou atônito. Afinal de contas, ele não andava por aí usando magia do caos o tempo todo, apenas por diversão. Mas aquele era o mesmo Sr. Rajavi que tinha levado Aaron a realizar truques com magia do caos numa de suas festas. Por que não havia problema naquilo, mas nisso tinha?

Talvez a Assembleia dê permissão para você fazer truques com o caos em festas, também, disse Aaron com um cinismo surpreendente.

— Como o senhor saberia? — perguntou Call.

As sobrancelhas do Sr. Rajavi se ergueram. Call supôs que aquela não parecia a pergunta de alguém que estava planejando ser honesto.

— Bem — disse o Sr. Rajavi. — Nós escolheríamos um novo contrapeso para você.

Um novo contrapeso? Call se surpreendeu com o tamanho da repulsa que a ideia lhe causava. Aaron era seu melhor amigo. Por isso ele estivera disposto a ser o contrapeso de Aaron e vice-versa.

Ainda sou seu melhor amigo, disse Aaron. *Se você começar a pensar como se eu estivesse morto, isso vai me pirar de vez.*

— E se eu não quiser? — perguntou Call ao Sr. Rajavi.

— Vamos torcer para que você queira — disse ele, o que era ao mesmo tempo uma promessa e uma ameaça.

— Preciso pensar.

O Sr. Rajavi ficou de pé e estendeu a mão para Call, que se levantou para cumprimentá-lo. Call percebeu de novo como crescera. Estava olhando de cima para a cabeça do Sr. Rajavi.

— Pense bem — disse o Sr. Rajavi. — Você tem um futuro brilhante pela frente.

Enquanto caminhava de volta pelos túneis, incomodado, Call pensou em Anastasia e na oferta da Assembleia. Também pensou em Alastair e na promessa de que, assim que o Ano de Ouro terminasse, os dois poderiam viajar e ir morar em outro lugar, adotar novas identidades.

Call chegou ao lugar onde seu grupo de aprendizes estava treinando. Tamara estava moldando seu metal num círculo luminoso, líquido e ofuscante. Jasper cutucava algumas pepitas de ouro e Gwenda tentava instigar uma poça de bronze amolecido a virar uma pulseira. O Mestre Rufus estava sentado numa pedra, parecendo desanimado.

Se Call fosse embora com Alastair nunca mais veria nenhum deles, mas se aceitasse a oferta da Assembleia, estariam sempre por perto. Eles poderiam ir juntos para o Collegium. Ele não faria mais magia do caos; não que quisesse fazer, de qualquer modo. O Sr. Rajavi talvez nem colocasse Tamara de castigo por namorar com ele.

Você está se esquecendo de uma coisa, disse Aaron.

De quê?

De mim.

CAPÍTULO SETE

Durante o almoço no Refeitório, Gwenda e Tamara conversavam animadamente. Jasper parecia afundar em sua melancolia, olhando frequentemente para a mesa ali perto, onde Celia estava cercada por amigos dos anos de Ouro e Prata. Call reconheceu alguns deles — um garoto quieto e de cabelo castanho chamado Charlie e uma garota com cabelo preto, curto e espetado, cujo nome ele pensou ser Jessie. Outros, no entanto, eram totalmente estranhos para ele. Talvez porque Call tivesse passado tanto tempo longe do Magisterium, percebeu — e talvez porque, mesmo quando estava ali, ele ficava envolvido demais em seu confortável grupo de três para notar muita coisa.

Às vezes Jasper acenava para Celia. Ela acenava de volta, atenciosamente, ignorando todos os outros na mesa. Tamara apenas revirava os olhos — todos riam e faziam piadas, menos Call, que permanecia quieto. A tensão de Aaron era palpável. Ele sempre havia amado esses grupos grandes, brilhado em meio ao bom humor e o afeto.

É como ser um fantasma, disse Aaron agora. *Posso ver tudo, mas não posso fazer nada. Nem dizer nada.*

— O que está rolando, Jasper? — perguntou Gwenda finalmente, depois que ele trocou outro aceno esquisito com Celia. — Vocês estão juntos ou não?

— É complicado — respondeu Jasper. — Celia quer que eu renuncie Call e proteste por ter sido transferido para o grupo de aprendizes do Mestre Rufus.

— Isso é ridículo — disse Kai. — Metade da escola mataria para estudar com o Mestre Rufus.

— Bem, parece que o Mestre Rufus de fato *GOSTA DE ASSASSINOS* — gritou Celia, que obviamente tinha escutado e estava furiosa.

Todos baixaram as vozes.

— Bem, você obviamente não pode fazer isso — sussurrou Gwenda.

— Lógico que não — reagiu Jasper.

— Call é seu amigo — disse Rafe.

— Não é isso — protestou Jasper. — Tem a ver com não ceder! Um deWinter não faz o que mandam. Somos independentes!

Call pensou em como o pai de Jasper não era nem um pouco independente. Estava trancado no Panopticon, manchando o nome da família deWinter. Jasper gostava de reclamar — *muito* — sobre coisas pequenas, mas nunca sobre a situação do pai. No entanto, isso devia pesar para ele.

— Celia não pode continuar sendo tão ridícula — observou Tamara. — É inacreditável que ela esteja recebendo algum apoio.

— Eu diria que mais ou menos metade da escola sente o mesmo que ela — disse Kai em voz baixa. — Tem muita gente que não gosta do Call e não confia nele, e algumas acham que ele é basicamente o Inimigo da Morte usando um uniforme do Ano de Ouro.

— E as pessoas que gostam de mim? — perguntou Call, sentindo-se enjoado.

— Estão todas nessa mesa — respondeu Gwenda.

— Não é verdade! — protestou Tamara. — Existem pessoas que gostam de você, Call. E Devastação. E Warren.

— Warren não gosta de ninguém — disse Call.

Ele empurrou o prato para longe e pensou em seu sonho com o Collegium. Não seria simplesmente uma continuação disso aqui?

Kai se levantou de repente. Seus olhos castanhos se viraram para os de Call e ele balançou a cabeça, triste.

— Desculpe — disse, atravessando a sala para se sentar à mesa de Celia.

Todos observaram, perplexos. Rafe rompeu o silêncio.

— Charlie é namorado dele, e está completamente do lado de Celia. Vocês precisam entender, tem sido difícil de verdade para o Kai.

Jasper ficou sério.

— As linhas de batalha estão sendo definidas — disse, e pela primeira vez não estava brincando.

Call quase imaginou que podia ver uma linha luminosa separando a mesa deles da de Celia.

Arrastando um garfo pelo líquen em seu prato, soube que precisaria fazer alguma coisa. Só queria saber o quê.

↑≋△○@

Depois do almoço houve exercícios do lado de fora, na floresta, com a participação de alunos do Ano de Ouro e de Ferro. Eles deveriam acompanhar os mais novos explorando a área em volta do Magisterium e experimentar alguma magia recém-aprendida.

— Não deixem que eles se afastem demais — disse o Mestre Rufus. — Isso vai ser bom para vocês, assumir responsabilidade por magos mais jovens, ajudá-los e também perceber até que ponto vocês chegaram em seus estudos.

— Ninguém vai querer ficar comigo — disse Call a Tamara, depois ficou meio envergonhado.

Seus amigos já estavam enfrentando a hostilidade de pessoas de quem eles gostavam por causa de Call. Ele não precisava reclamar, ainda por cima.

Tamara lhe deu um tapinha no ombro.

— Talvez haja algum serzinho maligno. — Ele a encarou com raiva e ela sorriu de volta, animada. — Esse é o espírito. Seu fãzinho malvado vai gostar disso.

Ele riu, mesmo contra a vontade.

Enquanto isso, Jasper estava começando a se achar o máximo com a ideia de que alguém ficaria impressionado com ele.

— Tenho muita sabedoria a oferecer — disse ele a Gwenda. — O importante é encontrar um aprendiz digno de mim.

— Realmente acho que nenhum deles merece você — disse Gwenda, e ele assentiu, pensativo.

— Está certíssima.

— Ah — disse ela. — Sei que estou.

Assim que passaram pelo Portão da Missão, Call não conseguiu deixar de perceber que a floresta estava estranhamente silenciosa.

Nenhum pio de pássaro vinha das árvores. Ele nem conseguia escutar os grilos.

Olhou para os outros. Tamara e o Mestre Rufus também tinham parado. O silêncio era mesmo fantasmagórico. Florestas nunca ficavam totalmente em silêncio — sempre há cantos de pássaros ou o som de animais distantes na vegetação rasteira. Mas não havia nada. Call estava prestes a dizer alguma coisa ao Mestre Rufus quando os portões do Magisterium se abriram de novo e mais e mais aprendizes saíram com seus Mestres. De repente ficou mais difícil ouvir o silêncio da floresta acima das conversas dos humanos.

— Já determinamos os pares — disse o Mestre Rockmaple, suficientemente alto para que os aprendizes começassem a ficar quietos. — Vou chamar o nome de um aluno do Ano de Ouro e depois o do Ano de Ferro que vai ser seu par.

Uma brisa soprou entre as árvores, e um instante depois de o Mestre Rockmaple terminar de falar, Call ficou irritado de novo ao ouvir o assobio do vento pelos galhos e nada mais. Nenhum som de animais. Mas havia o ruído de outra coisa. Algo familiar a Call.

— Rockmaple — disse o Mestre Rufus. — Acho que deveríamos voltar e adiar esse exercício por mais um...

Então Call lembrou. Era o som que ouvira quando ele e o pai foram às Cataratas do Niágara. Um chiado gigantesco, como se o ar estivesse rachando.

Um burburinho cresceu entre os alunos, mas não havia tempo para mais nada. Antes que o Mestre Rufus pudesse terminar a frase, um elemental apareceu acima das árvores.

Call ouviu Tamara ofegar.

— Um *dragão*.

A criatura era enorme, de um preto brilhante e sinuoso, com asas pequenas, membranosas, e enormes mandíbulas cheias de dentes. Os olhos eram de um vermelho brilhante. Havia um humano montado em suas costas — com uma capa comprida que balançava ao vento.

Call estendeu a mão para Tamara, que a apertou com força. Ele podia *sentir* Aaron dentro de sua cabeça, encolhendo-se com incredulidade — e horror.

Mesmo sendo impossível, o cavaleiro era Alex. Transformado, mas ainda reconhecível, apesar de uma nuvem de trevas circular sua cabeça. Era como se alguém tivesse cortado a luz do céu ao redor dele. Seus olhos eram enormes buracos negros que reluziam, como se estivessem cheios de estrelas.

Os aprendizes gritaram e muita gente começou a correr de volta para o Magisterium. Nem todos reconheciam Alex, mas sem dúvida reconheciam algo ruim. Call e Tamara ficaram firmes, mas o Mestre Rufus se moveu para bloqueá-los da visão direta de Alex.

Ele está morto. Aaron parecia atônito. *Ele tem de estar morto. Ele foi sugado para o caos.*

O dragão abriu as mandíbulas enormes e cuspiu um fogo preto, crestando os topos das árvores ao redor e incendiando-as. Elas queimavam sem luz, sem calor. Call se lembrou de seu sonho, da chama preta que se espalhava das suas mãos. O dragão soprava puro fogo do caos.

— Rápido, todo mundo para dentro! — gritou o Mestre Rufus, sinalizando para os alunos voltarem. — Tamara! Call! Saiam daqui!

Os Mestres estavam correndo, arrebanhando os aprendizes de volta até o portão do Magisterium. Alunos do Ano de Ferro corriam, quase tropeçando uns nos outros, ansiosos para voltar ao portão.

— Esperem! — gritou um Mestre. — Fiquem perto...

Mas era tarde demais. O dragão voou baixo, com Alex grudado em suas costas, e pegou dois alunos do Ano de Ferro. Um deles era Axel, o menino que tinha se mostrado curioso com Call quando este chegou ao Magisterium. Ele parecia aterrorizado, mas não chorava. Parecia tentar morder as garras do dragão do caos. Ao seu lado, uma menina do Ano de Ferro gritava e tentava se soltar com chutes. Mas o dragão os segurava com força e subiu pelo céu com os dois presos nas garras.

Rindo, Alex gritou, sua voz trovejando na floresta:

— Parem! Todos os mestres do Magisterium, parem onde estão! Sou Alexander Strike, o primeiro Devorado do Caos, e vou destruir todos vocês, a não ser que sigam minhas ordens.

Um Devorado do Caos? Call olhou para o Mestre Rufus, mas o Mestre Rufus estava olhando para Alex. Parecia furioso. Todos os Mestres pareciam, mas estavam imóveis, sabendo que não existia opção. Acima deles os dois alunos gritavam, embora o som chegasse fraco ao ser trazido pelo vento.

Call se virou para Tamara, que tremia de fúria.

— Precisamos fazer alguma coisa — disse ela.

As labaredas pretas cresciam, devorando mais árvores. *Fogo*, pensou Call. Ele já havia apagado fogo antes.

Isso quase matou você, protestou Aaron. *Agora, sem um contrapeso...*

Alex ainda estava falando:

— Primeiro libertem Anastasia Tarquin do cativeiro ou eu largo esses pirralhos no fogo e depois acabo com o resto de vocês. Mas só *depois* que vocês virem os dois queimar.

Um murmúrio atravessou o grupo de alunos. *Anastasia Tarquin?* Nem todo mundo sabia que ela era madrasta de Alex; até Call ficou perplexo ao perceber que Alex gostava dela a ponto de se incomodar em tirá-la da prisão.

Foi o Mestre Rufus que se adiantou para falar.

— Precisamos de tempo para isso — gritou. — Precisamos contatar o Panopticon.

A risada de Alex era selvagem. Call só conseguia imaginar o prazer que ele estava sentindo em dar ordens aos seus antigos professores.

— Tragam um telefone de tornado para cá em cinco minutos ou eu torro um pirralho.

O Mestre Rockmaple se virou e entrou correndo no Magisterium.

— Call e Tamara — disse Alex, virando seu olhar de estrelas escuras para eles. Seu rosto parecia um pergaminho por trás do qual ardia uma luz preta e brilhante. — Que reencontro fantástico! — Ele inclinou a cabeça para trás e gargalhou.

— Você deveria ter ficado no vazio — gritou Call enquanto se concentrava em afastar o ar do fogo caótico que comia as árvores.

Mas, mesmo que puxasse com toda a vontade, as chamas nem mesmo estremeciam. Não era um fogo comum, alimentado pelo ar. Call não sabia qual era seu comburente, mas enquanto sua magia voava na direção das chamas, ele não sentiu calor nem luz. Se o oposto do caos era alma, então ele temia que o fogo se alimentasse da própria substância do mundo.

Não podia apagar o fogo desse modo, mas ele era um Makar. Deveria ser capaz de controlá-lo. Então direcionou poder em direção às chamas do caos, concentrando-se em impedi-las de se espalhar. Parecia que estava funcionando: o fogo começou a diminuir e a apagar quando parou de encontrar combustível.

— E você nunca deveria ter nascido — disse Alex a ele, parecendo sentir grande prazer. — Você é uma paródia de tudo que o Inimigo da Morte era, uma imitação débil.

— Ele é um Devorado — disse Tamara baixinho a Call. — É meio como um elemental. Você poderia controlar um elemental do caos, não é?

Boa ideia, pensou Aaron.

Call sorriu com uma esperança vingativa. Se pudesse controlar Alex, teria dificuldade para não obrigá-lo a fazer alguma coisa idiota e humilhante — depois, claro, de colocar o garoto e a garota no chão. Ele estendeu sua magia outra vez, não mais na direção do fogo, mas na de Alex...

... e bateu no que parecia ser uma parede pegajosa de nada. Seu poder foi arrastado na direção de Alex e o puxou de volta com o que parecia ser força física. Alex havia se tornado alguma coisa poderosa demais para Call controlar.

O Mestre Rockmaple voltou correndo pelo Portão da Missão, seguido pelo Mestre North e o Sr. Rajavi — que claramente não havia ido embora. O Mestre North carregava um telefone de tornado.

Tamara olhou para o pai. Ele lhe lançou um olhar rápido, mas não falou com ela, o que provavelmente era a coisa certa. Era melhor que Alex não se lembrasse do relacionamento dos dois. Era melhor que Alex não pensasse num modo novo de ferir um deles.

— Não podemos ceder — disse o Mestre North.

Então viu as crianças penduradas nas garras do dragão, o pânico cada vez maior, cada vez mais certas de que seriam engolidas pelo caos.

— Por enquanto — disse o Sr. Rajavi, ativando o telefone de tornado.

Do outro lado da linha atendeu um guarda no Panopticon. Call reconheceu o uniforme com um tremor.

— Precisamos que você vá até Anastasia Tarquin e a prepare para ser solta. Mas primeiro traga a prisioneira aqui. Precisamos vê-la e garantir que ela esteja bem ao ser libertada — disse o Sr. Rajavi.

— Anastasia *Tarquin*? — perguntou o guarda, perplexo. — Com que autoridade?

— Em nome da Assembleia, da qual sou porta-voz — respondeu o Sr. Rajavi.

O guarda pareceu reconhecer com quem falava e a confusão que acontecia ao fundo. Então empalideceu e partiu correndo.

Alex sorriu, presunçoso. Quando o dragão abriu as garras, a menina escorregou e o grito chegou até eles. O dragão pegou-a de novo, como se ela fosse uma bola e ele estivesse brincando. Os gritos então não pararam mais.

— Pare! — gritou o Sr. Rajavi. — Já estamos dando o que você quer! Devolva as crianças...

— Eu vou mandá-las de volta... ligeiramente chamuscadas.

Ao ouvir a risada de Alex, Call pensou que era isso que ele sempre quisera ser. Era assim que ele sempre havia pensado que o Inimigo da Morte deveria ser: esse horror maníaco, uivante.

— As crianças são inocentes — disse o Mestre Rufus. — Elas não tem nada a ver com isso. Leve a mim.

— Drew era inocente — rosnou Alex.

Call lutou para não dizer que isso não era nem um pouco verdade. Não achou que fosse ajudar.

— E vocês o assassinaram, todos vocês. Vocês são os mestres das mentiras!

— Ele vai pirar de vez — sussurrou Tamara, pálida. — Precisamos fazer alguma coisa.

— Ela está aqui! — gritou o Mestre North.

Atrás do redemoinho de ar no telefone de tornado via-se Anastasia com o uniforme folgado do Panopticon, sendo guiada pela porta da frente da prisão por dois guardas corpulentos. Ela estava piscando, mas obviamente incólume.

Alex rosnou:

— Soltem Anastasia!

Os guardas ficaram de lado e a prisioneira olhou em volta, atônita. Estava nítido que Anastasia não fazia ideia do que estava acontecendo. Sua voz chegava fraca através do telefone.

— O que está acontecendo? Quem está aí?

— Solte as crianças! — gritou Rufus.

Alex deu um sorriso desagradável.

— Hmmm. Será que devo?

— É melhor fazer isso logo! — gritou Tamara. — Todo mundo sabe como Anastasia é, e também que ela é uma traidora. Se você não pegá-la primeiro, qualquer mago de passagem pode agarrá-la e jogá-la de volta na prisão. Ou coisa pior!

Alex mostrou os dentes. Toda a multidão ficou tensa e o dragão avançou e mergulhou, abrindo as garras. Os dois alunos começaram a cair, mas a velocidade da queda diminuiu pouco antes de baterem no chão. Os dois se sentaram, para alívio de Call. Mas Axel estava segurando o braço, e Call supôs que os Mestres não tinham conseguido suavizar sua queda o suficiente.

O Mestre Rockmaple correu em direção aos dois. O dragão de Alex recuou soltando um jato de fogo preto.

— Vocês não vão me seguir — disse Alex, e estendeu a mão.

Uma escuridão brotou dela. Call se lembrou novamente de seu sonho. Uma cidade inteira devastada pelo caos.

A escuridão começou a formar um redemoinho de vazio, como um funil preto. À medida que ele se espalhava na direção do Magisterium, sugava folhas e pedras. Queimava o chão por onde passava.

O redemoinho estava mais perto do Mestre Rockmaple porque ele tinha corrido para pegar as duas crianças. Ele levantou as mãos e um fogo saltou entre elas. Com uma expressão séria, o mago lançou seu fogo na direção do caos...

E a onda preta saltou adiante.

Com um uivo, o Mestre foi arrastado para o vazio.

Desapareceu.

As pessoas voltaram a gritar, virando-se para correr de volta para o Magisterium, mas a confusão criou um bloqueio no portão. Elas estavam se encurralando do lado de fora. Seria um massacre.

Call estendeu a mão, buscando a magia dentro dele. *O contrapeso do caos é a alma.* Ele conhecia a torneira por onde ela jorrava, como encontrar energia de sua própria força vital, e partiu para ela sem pensar, ignorando a dor quase física enquanto a agarrava.

Me use!, gritou Aaron. *Use minha energia também!*

Call apenas balançou a cabeça. Seu cabelo chicoteava ao vento do vazio do caos. Tamara puxava seu braço, tentando fazer com que ele recuasse. Ele dobrou os dedos ligeiramente, como fizeram no sonho...

O vazio começou a se fragmentar, se despedaçando como vidro preto.

Mas a escuridão circundava Call e ele se sentiu caindo.

CAPÍTULO OITO

Call acordou assustado. Por um momento pensou estar perdido no caos, até ouvir o zumbido familiar de vozes e o nítido cheiro mineral das cavernas do Magisterium. Sentou-se, assustando a Mestra Amaranth.

Estava na Enfermaria. Relaxou e caiu de volta no travesseiro.

A maga veio até ele, o cabelo cor de cobre puxado para trás e sua cobra enrolada na cabeça como uma tiara enorme. Hoje a cobra estava com uma cor verde amarelada e brilhante que virou azul e depois roxo. Um instante depois, listras vermelhas surgiram nas escamas.

Você quase morreu, disse Aaron em sua cabeça.

— Ah.

Call se lembrava de algo assim. De alguma coisa sobre o buraco rasgado no caos, de tentar fechá-lo usando sua própria alma.

Eu tentei me segurar a você, mas era como se você estivesse escorregando para longe, continuou Aaron. Ele parecia em pânico e com raiva. Call supôs que isso fazia sentido. Se ele morresse, Aaron também morreria.

NÃO é essa a questão... começou Aaron, mas a Mestra Amaranth interrompeu:

— Apesar do meu conselho, você não está sozinho aqui.

Por um momento bizarro Call pensou que ela estava falando de Aaron, antes de se virar e ver Tamara sentada na cama ao lado. Ela pousou o livro de anatomia que estivera lendo e foi rapidamente até a cama dele.

— Desculpe — disse Call, mas não tinha certeza se estava falando com ela ou com Aaron. — Acho que não sou muito bom em derrotar inimigos, não é?

— Não seja idiota — disse Tamara, carinhosamente. — Você não tem por que se desculpar.

Você não entende, insistiu Aaron. *Eu não ia morrer. Se sua alma fosse consumida, eu ficaria sozinho aqui.*

Call supôs que seria um modo de Aaron ganhar um corpo.

Não tem graça, disse Aaron.

Tamara sentou-se na cadeira ao lado da cama. Estava sorrindo, e Call ficou tremendamente aliviado ao vê-la. As coisas não pareciam boas quando ele perdeu a consciência.

— Você está bem? — perguntou. — Está todo mundo bem?

— Quase todo mundo — respondeu Tamara. — Você despedaçou o tornado do caos, desmaiou e depois disso eu não consegui notar qualquer coisa . — Ela ficou vermelha. — Mas basicamente Alex escapou no meio da gritaria. — Ela mordeu o lábio. — E nós perdemos o Mestre Rockmaple.

— Desculpe — disse Call de novo. Sabia que deveria ter agido antes.

— Você não tem culpa, eu já disse. — Tamara voltou ao tom autoritário de sempre. — Mas não sei o que vamos fazer com relação ao Alex. Depois que você desmaiou, eu consegui falar com meu pai. Ele disse que Alex estava certo, que nunca houve antes um Devorado do Caos. Existem poucos Makars e pouquíssimos magos se tornam Devorados, e isso nunca aconteceu antes com um Makar. Não sabemos como impedi-lo. Nem sabemos muito sobre os Devorados. O mundo dos magos não gosta de admitir que isso pode acontecer.

Call pensou na irmã de Tamara, Ravan, e no professor do Mestre Rufus, Mestre Marcus. Os dois tinham se tornado Devorados e eram realmente assustadores. Não eram mais totalmente humanos nem totalmente elementais. Call nunca soube de que lado eles estavam, e ninguém parecia saber o quanto do eu anterior deles permanecia.

Se bem que, se é que isso servia de alguma coisa, Alex parecia exatamente o mesmo cara maligno e desagradável de antes. Só que com muito mais poder.

— Isso é péssimo — disse Call. — Não tenho ideia de como impedi-lo.

Tamara suspirou.

— Eu também não.

Você não pode dizer isso a ela, censurou Aaron. *Diga alguma coisa encorajadora.*

— Mas tenho certeza de que vamos pensar em alguma coisa, não é? — tentou Call, debilmente.

Tamara franziu a testa.

Diga "se trabalharmos juntos, vamos descobrir um modo de derrotar Alex. Nós sempre descobrimos".

Call repetiu as palavras, tentando parecer que realmente sentia isso. Do modo como Aaron teria dito.

Tamara ergueu uma das mãos.

— Não. Absolutamente não. Por que você está falando desse jeito? O Call que eu conheço jamais diria isso. O Call que eu conheço estaria falando em fazer as malas e fugir para algum lugar remoto onde a gente pudesse se disfarçar e se esconder. E mais tarde, não sem relutância, talvez o Call que eu conheço fizesse alguma coisa heroica.

Tamara encarou Call com uma suspeita profunda.

— Tem alguma coisa acontecendo.

Call se encolheu e pensou em Alastair, que pouco tempo atrás havia sugerido que eles fugissem para algum lugar remoto. Tamara o conhecia assustadoramente bem. Ele não podia mais adiar a revelação.

— Ah... — disse. — Aaron está dentro da minha cabeça.

— Call, não *minta* para mim. Não é hora.

— Não estou mentindo, nem brincando — disse Call num sussurro áspero. — Quando Aaron morreu, no campo de batalha, a alma dele entrou em mim. E não era aquele Aaron morto-vivo esquisito, mas o Aaron de verdade. A alma dele está viva e está dentro da minha cabeça.

Tamara ficou boquiaberta. Obviamente tentava decidir se Call precisava de uma dose de medicação.

Diga a ela que você pode provar, instruiu Aaron.

— Eu posso provar. Me dê uma chance.

Depois de uma longa hesitação, ela concordou.

Me deixe falar, pediu Aaron. *Só um minuto.*

Call não sabia exatamente o que ele queria dizer, mas concordou. Tamara encarava Call — definitivamente notando que ele assentia sem motivo —, mas Call não se importava mais. Precisava que alguém acreditasse que isso era verdade. *Vá em frente.*

— Tamara — disse.

Call não tivera a intenção de falar, a palavra simplesmente saiu de sua boca. Ele ficou parado. Era como ouvir Aaron. O que ele diria em seguida?

— Você se lembra daquela primeira noite depois do Julgamento de Ferro? — perguntou Aaron.

Tamara assentiu, de olhos arregalados.

— Call foi deitar cedo. Nós estávamos sentados na sala e você disse: "Não se preocupe porque ele está no nosso grupo de aprendizes. Ele não vai durar uma semana".

Ela o encarou por um longo momento.

— Você pode ter contado isso ao Call.

Era bom sinal o fato de ela estar agindo como se falasse com Aaron. Era bom, mas esquisito. Call dera permissão para Aaron controlar seu corpo, mas continuava não gostando.

— Certo — Aaron fez a boca de Call dizer. — Que tal isso? Quando eu fiquei na sua casa naquele verão, seu pai ficava andando de um lado para o outro vestido com aquele roupão branco com acabamento dourado e um dia você vestiu o roupão e fingiu que era ele, eu fiquei rindo, e aí ele flagrou a gente. Lembra? Eu morri de medo de ele me expulsar, mas ele só foi embora e todos nós fingimos que isso nunca aconteceu.

— Aaron! — gritou Tamara, e abraçou Call. Ela estava soluçando. — É você. Ninguém mais sabia disso.

— Não acredito — murmurou Call.

Ele estava gostando de abraçar Tamara, mas não gostava de nada do que Aaron dissera.

— Vocês dois queriam se livrar de mim! Vocês são horríveis!

Tamara se afastou um pouco, os olhos brilhando de lágrimas.

— A gente superou isso — disse.

Call não estava sentindo que tivesse superado isso totalmente, mas ficou feliz por Tamara acreditar nele. Quando ela o olhou outra vez, havia algo novo em seu rosto, algo que ele nunca tinha visto antes.

— Call. Eu estava errada. Você fez uma coisa incrível. Não sei como, mas você trouxe o Aaron de volta dos mortos.

— E isso é bom — disse Call, sem saber ao certo como se orientar em uma conversa tão pesada. — Não é?

Bem, obviamente eu acho que sim, respondeu Aaron.

— Eu sempre penso em uma coisa que você disse quando chegou ao Magisterium, quando estava começando a aprender sobre o mundo dos magos. Você não entendia por que Inimigo da Morte era um nome tão assustador. Você se lembra do que falou? *Quem quer ser Amigo da Morte?*

Call não se lembrava de ter dito isso. Balançou a cabeça.

— Eu pensei bastante a respeito — continuou Tamara. — Em como não há nada de errado em desejar que não exista mais morte. Todos nós queremos isso. Esse não era o problema do Constantine, e trazer Aaron de volta é incrivelmente bom. É fantástico. Call, você fez uma coisa que ninguém fez antes.

— Bem, só que existem dois problemas — disse Call, embora estivesse relutante em abrir mão da opinião favorável de Tamara. — Um: Aaron mais ou menos foi sugado para dentro da minha cabeça quando tentou me impedir de ser destruído pelo caos, e não sei bem se a gente poderia fazer uma coisa dessa outra vez. E... dois: nós precisamos arranjar um corpo para o Aaron.

Os olhos dela se arregalaram um pouco.

— Ah, é.

Antes que pudessem falar sobre os aspectos práticos da ética de roubar corpos, a Mestra Amaranth voltou acompanhada de um membro da Assembleia que Call reconheceu, mas cujo nome não sabia. A cobra da Mestra Amaranth estava com um tom intenso de laranja e sua cabeça pairava no ar acima de um dos ombros da Mestra, como se quisesse atacar o visitante.

— Callum — disse a Mestra Amaranth. — Apesar do meu conselho, membros importantes da Assembleia vieram ao Magisterium e estão ansiosos para encontrar com você e alguns de seus amigos. Imaginei que eles seriam um pouco mais pacientes, mas esperar não parece ser o forte deles.

O membro da Assembleia que estava ao lado dela tinha uma expressão cada vez mais franzida e insatisfeita, mas não mordeu a isca.

— Sentimos muito — disse ele. — Mas é urgente. Alex Strike fez exigências que envolvem vocês dois.

↑≋△○@

Os membros da Assembleia estavam reunidos no grande salão de pedra, em volta da mesma mesa redonda onde Call já estivera diante deles — de modo mais notável quando trouxe a cabeça de Constantine Madden dentro de uma sacola. Aquela tinha sido uma grande vitória, pelo menos era o que Call gostava de pensar.

Quando entrou com Tamara, ficou surpreso ao encontrar Jasper ali, falando em voz baixa com um dos membros. Call chegou suficientemente perto para ouvir que a conversa era sobre o pai de Jasper, detido no Panopticon. Se Anastasia fora condenada à morte, qual seria o castigo do pai de Jasper? *Não poderia ser algo pior, certo?*, pensou Call, tentando se tranquilizar. Sem dúvida Jasper teria contado a eles. Mas, olhando o rosto sério dos magos, um arrepio o atravessou.

— Chega. Já basta.

Uma voz ríspida interrompeu as conversas enquanto Call e Tamara se sentavam. O Mestre Rufus sentou-se diante deles, de braços cruzados. Alguns professores do Magisterium o acompanhavam.

— Basta. Silêncio, todo mundo — gritou Graves; velhíssimo e carrancudo, ele era uma das vozes mais importantes da Assembleia. — Temos negócios a discutir.

Todos se acomodaram. Call tentou atrair o olhar de Jasper, mas ele observava as próprias mãos cruzadas.

— Hoje sofremos uma grande perda — disse o Mestre North. — O Mestre Rockmaple, depois de uma longa vida dedicada ao serviço altruísta aos seus colegas magos, se foi.

— Não é tão simples assim — contrapôs a Mestra Milagros com os olhos vermelhos. — Ele foi sugado para o caos. Quem sabe onde sua alma pode estar vagando?

— Ele estava salvando dois alunos — disse o Mestre Rufus. — Será lembrado como um herói. Assim como Call — acrescentou ele, lançando um olhar para Graves. — Se não fosse por nosso Makar, Alexander Strike poderia ter assassinado ainda mais inocentes.

— E foi para falar sobre Alexander Strike que convocamos essa reunião — disse Graves. Em seguida, levantou um pedaço de papel da mesa de pedra, como se fosse um objeto desagradável. — Tenho aqui a lista de exigências dele, que chegou a nós depois que Alex foi visto no Panopticon "resgatando" Anastasia Tarquin de um castigo muito merecido.

— Ele mandou uma *carta*? — sussurrou Tamara. — Quem ainda faz isso?

— Que tipo de exigências ele fez? — perguntou rispidamente o Mestre North.

O resto do grupo estava agitado.

— Não temos motivo para ceder a qualquer exigência dele! — disse o Mestre Taisuke. — Ele não está mais com reféns. Não deveríamos cooperar.

— De certo modo todos nós somos reféns dele — retrucou Rufus. — Ninguém sabe o que um Devorado do Caos pode fazer.

— Ele pode queimar a floresta — disse Tamara. — Pode criar buracos negros de caos que só Call pode desfazer. E Call praticamente se matou fazendo isso.

Graves olhou para ela por cima do nariz comprido.

— Tamara Rajavi — disse ele. — Imagino que queira ouvir esta lista de exigências, já que ela menciona especificamente você. Ou prefere ficar falando bobagens?

Call segurou a mão de Tamara por baixo da mesa antes que ela pudesse pular por cima do tampo e dar um soco em Graves. O velho Mago pigarreou, equilibrou os óculos no nariz e começou a ler:

Aos magos do Magisterium

Neste ponto vocês sabem que eu, Alexander Strike, me tornei um Devorado do Caos. Eu sou o caos e o caos é Alex Strike. Posso liberar seu poder destruidor sobre a terra quando bem entender. Posso queimar cidades e evaporar oceanos. Posso destruir o mundo.

Vocês só têm uma chance: obedecer a mim. Eu consideraria uma trégua com o Magisterium se os magos forem postos imediatamente à minha disposição para construir uma fortaleza. Anexei um desenho. Ela será enorme, feita de mármore e granito. Quero construí-la perto do Magisterium, para que todo aprendiz precise olhar para ela sempre que sair das cavernas, e quero que ela tenha uma grande sala de cinema e também uma sacada. Ela deve fazer com que qualquer fortaleza que Constantine Madden já teve pareça insignificante.

Assim que a fortaleza estiver construída irei ocupá-la. Então vocês me trarão mais coisas que eu quero. Entreguem-me Callum Hunt, Tamara Rajavi e Jasper deWinter, atados de modo que não possam fazer magia. Na verdade, quero os três amordaçados, especialmente Call. Por fim, quero que Kimiya Rajavi também seja entregue a mim, embora saiba que ela virá espontaneamente.

Alexander Strike

— Isso é ridículo! — disse o Mestre Taisuke no momento em que Graves terminou a leitura, levantando-se para dar um tapa na mesa. — O texto não pode dizer realmente isso. Parece a carta de uma criança petulante! Não são pedidos razoáveis. Ele quer uma mansão e... o quê? Seus inimigos para serem castigados? Uma garota? Ele quer bancar o vilão de uma fábula?

— Ele acredita que minha filha Kimiya estava apaixonada por ele — explicou o Sr. Rajavi. — Ela é uma garota boba, mas sente muita vergonha de ter se desviado do caminho. Ficar com ele de novo é a última coisa que ela desejaria.

Graves lançou a ele um olhar cético, mas não comentou.

— Eu vi Alex — continuou o Sr. Rajavi. — Ele não se parecia nem um pouco com o rapaz que eu conheci. Estava com uma capa enorme e parecia estar adorando nos causar medo. Todas as suas exigências podem parecer absurdas, mas ele realmente tem poder e a infantilidade de seus desejos. Para mim isso os torna muito mais apavorantes. Uma mente adulta é razoável, mas a mente de uma criança é caprichosa.

— Um Devorado do Caos — disse Graves depois de um momento. — Não temos experiência com isso, temos?

Houve silêncio.

— Não — disse ele, depois de vários instantes. — Callum, como Makar, o que você sabe sobre isso?

Call pigarreou e começou a entrar em pânico. Esse era o tipo de situação na qual ele nunca se saía bem. Ele sempre dizia a coisa errada.

Você também não sabe nada, disse Aaron. *Só diga isso a eles.*

— Eu conheço um lagarto — disse Call.

Call ouviu o gemido de Aaron, mas continuou, teimoso:

— Ele me alertou sobre uma coisa que tinha sido mandada para o caos. A única coisa que eu acho que sei, então, é que talvez Alex tenha trazido elementais do caos com ele. Provavelmente aquele dragão.

Graves não pareceu impressionado.

— *Você* poderia se tornar um Devorado do Caos?

— O quê? — reagiu Call bruscamente.

Graves ajeitou os óculos.

— Se você usasse sua capacidade de manipular o caos sem um contrapeso, poderia ser arrastado e transformado também em um Devorado, certo? Você seria uma criatura do caos, não totalmente humana. Mas talvez pudesse derrotar Alex. Seria um ato muito heroico.

Call apenas ficou olhando para ele. Não conseguia acreditar que Graves estava realmente sugerindo uma coisa dessas, mas então se lembrou de que Aaron sabia que o estavam tratando bem porque eventualmente pediriam que ele morresse por eles. Agora Call era o único Makar. Infelizmente para a Assembleia, gratidão nunca foi o forte de Call.

Você achou que eu era um sacana? É isso?, perguntou Aaron.

— Não! — disse Call, depois percebeu que havia respondido a Graves mais diretamente do que pretendera.

— Call está certo. Ele não vai fazer isso. Seria suicídio — disse o Mestre Rufus, interrompendo qualquer objeção possível. — Call, Jasper, Tamara, quero que vocês entendam o que está acontecendo aqui, porque contar a vocês que Alex quer que sejam entregues a ele é um risco. Um risco que nem todo mundo aqui achava que deveríamos correr. — Ele olhou irritado para Graves, que o encarou de volta do mesmo modo. — Agora que vocês sabem quais são as exigências de Alex e sabem do perigo que ele representa diretamente para vocês, podem se sentir justificados se não quiserem se envolver com isso. Alex acha que jamais contaríamos que ele pediu vocês como prisioneiros por medo de que fujam, mas confio em vocês. Confio que não vão fugir sabendo da morte e da destruição que isso causaria a pessoas inocentes.

Ele fez uma breve pausa antes de continuar:

— Não planejamos entregar vocês, mas sugiro que comecemos a construir a fortaleza, porque isso fará com que ele acredite que estamos cooperando e vai nos dar algum tempo. Vocês precisam agir nesse intervalo. Call, você é nosso único Makar. Procure dentro de você. Encontre seu poder. Descubra como derrotar Alex.

Todo mundo olhou para Call.

Diga que você vai se esforçar ao máximo, sugeriu Aaron.

— Se tenho de fazer isso sozinho — a voz de Call saiu áspera —, se preciso descobrir como derrotar Alex, apesar de ainda ser um estudante, quero uma coisa de vocês. Independentemente do que eu fizer, do que meus amigos decidirem que precisamos fazer para destruir um Devorado do Caos, vocês não podem ser empecilhos. Eu preciso que vocês me ajudem. Chega de me tratarem como inimigo, como *o* inimigo. Entenderam?

Houve um silêncio. A expressão no rosto do Mestre Rufus era ilegível; Call se perguntou se teria ido longe demais.

Graves tirou os óculos e franziu os olhos para Call.

— Entendemos, Sr. Hunt — respondeu ele. — Entendemos muito bem.

— Ótimo — disse Call, e se levantou. Para seu alívio, Tamara e Jasper também se levantaram, obviamente para ir aonde ele fosse. — Então farei o melhor que puder.

CAPÍTULO NOVE

Call chegou ao alojamento antes que sua explosão de coragem o abandonasse. Gwenda estava na sala, e algo em seu nervosismo, em sua expressão ansiosa, derrubou o que restou da força de Call. Ele desmoronou no sofá com o rosto entre as mãos.

— Não posso fazer isso — disse ele. — Não posso.

Tamara sentou-se no sofá ao lado dele e pegou sua mão. Call percebeu Jasper notando o gesto, mas não se importou. A essa altura, e daí que Jasper ou qualquer pessoa suspeitasse sobre seu relacionamento com Tamara?

— Vamos ajudar você — disse Tamara.

Call ficou feliz por ela não ter dito "vai ficar tudo bem". Tamara era inteligente demais para dizer isso. Ela sabia que esse tipo de promessa não significava nada e só fazia promessas que pudesse cumprir.

— Você não vai estar sozinho. — Ela levantou os olhos. — Certo, Jasper?

Ele assentiu.

— É. Lógico.

E eu vou estar aqui, disse Aaron. *Você se lembra de quando era eu sentado nesse sofá? Lembra de quando eu joguei meu sapato porque sabia que ser o Makar significava que teria de morrer pelo Magisterium?*

Lembro, respondeu Call.

— E eu também vou ajudar — disse Gwenda, e depois de uma pausa, acrescentou: — Espera aí, eu prometi ajudar com o quê?

Jasper contou a ela rapidamente sobre a reunião e a mensagem de Alex.

— Quer dizer que você precisa descobrir um modo de derrotar um Devorado do Caos? — perguntou Gwenda, incrédula. — Na verdade, espera aí, *a gente* precisa descobrir um modo de derrotar um Devorado do Caos, já que eu acabei de prometer que ajudava? Não acredito. Eu sempre me perguntei como vocês acabam sendo sugados para essas coisas, Tamara e Jasper, e agora sei.

— Exatamente — disse Jasper. — Como é que a gente acaba falando essas coisas? Quem quer se envolver nesse tipo de negócio?

— Vocês não precisam se envolver, se não quiserem — declarou Call.

— Não seja ridículo — reagiu Jasper. — Lógico que eu quero. Na verdade, eu não *quero*, mas você entendeu. Qual será nosso primeiro passo?

— Vocês acham que o Alex tem aliados? — perguntou Gwenda, sentando-se à mesa. — Além de Anastasia Tarquin, sei lá.

— Não como o Mestre Joseph tinha — respondeu Call. — Alex não é o Inimigo da Morte. Ele não está interessado em acabar com a morte e o sofrimento. Ele só quer poder. Então acho que muitas pessoas que seguiam Constantine provavelmente não vão seguir Alex.

— E aquele dragão? — perguntou Gwenda. — Devia ser um elemental do caos, mas era *enorme*. Era o Automotones? Você acha que era sobre isso que Warren quis alertar a gente?

— Automotones é enorme também, mas é um elemental diferente. Mas quem sabe o que mais voltou de lá com Alex? — disse Tamara. — A gente precisa presumir que, mesmo que não tenha *seguidores*, ele ainda pode controlar monstros suficientes para que um ataque direto seja arriscado.

— Ninguém sabe como deter um Devorado do Caos — disse Call. — Quero dizer, eu nem sei muita coisa sobre os Devorados e ponto. Parece que o pessoal por aqui não gosta de falar sobre eles.

Tamara suspirou.

— É. Quando Ravan se transformou, minha família fingiu que ela estava morta. Acharam melhor assim. Mas quando eu precisei de ajuda, ela ajudou. Ainda se considerava minha irmã.

— Ela é... humana? — perguntou Gwenda, parecendo desconfortável.

Tamara balançou a cabeça.

— Ela não precisa ser humana para importar.

Na última vez em que Call vira Ravan de perto, ela estava tirando Jasper e ele do Panopticon, uma coluna de fogo aterrorizante. Na última vez em que a vira de longe, ela estava ajudando Tamara e Jasper a escapar do Mestre Joseph. Dessa vez em forma de uma pluma de chamas.

Não se esqueça do campo de batalha, observou Aaron. *Ela estava lá, também.*

— Alex parece ser exatamente o mesmo imbecil de antes — disse Call. — Mas Ravan... espera aí, você ainda consegue se comunicar com ela?

— Por quê? — perguntou Tamara.

— A gente poderia perguntar a Ravan sobre como é ser uma Devorada. Sobre os pontos fortes e fracos. Talvez ela possa ajudar a gente a descobrir um modo de derrotar o Alex.

— Os magos ainda estão procurando por ela — disse Jasper. — Eles não gostam de deixar Devorados soltos por aí. Se eles a pegarem, vão trazê-la de volta para o Magisterium e trancá-la novamente.

— Não vamos facilitar para eles.

Call olhou para Tamara de um jeito que ele esperava ser inocente e esperançoso.

Ela suspirou.

— Sim, eu posso entrar em contato com ela, mas Jasper tem razão. Ela estaria se arriscando se respondesse a mensagem. Talvez ela não se arrisque.

— Nesse ponto, tudo é uma possibilidade remota — disse Call.

— Acho que enquanto isso a gente deveria tentar achar o Warren de novo — sugeriu Gwenda. — Aposto que ele sabe mais do que está dizendo.

— Ele *sempre* sabe mais do que diz — admitiu Call.

— Bem — disse Jasper. — Está na hora de arrancarmos a informação dele. Vamos interrogar aquele lagarto. Colocar um holofote na cara dele, amarrá-lo numa cadeira e dizer que ele vai dormir com os peixes se não contar tudo o que sabe.

Tamara ergueu as sobrancelhas.

— Ele sempre dorme com os peixes — disse ela. — Ao menos quando não está comendo os peixes.

— A gente poderia atraí-lo com um prato de comida — sugeriu Gwenda. — O que vocês acham que ele gostaria de comer?

Debateram isso durante um tempo e terminaram usando magia, uma ida ao Refeitório, uma rede e revirando suas próprias gavetas para montar um prato que chamaria a atenção de Warren. Nele havia grilos de caverna, peixes cegos, pedras preciosas, carvões e líquen com gosto de algodão-doce.

Os quatro, com Devastação atrás, caminharam pela caverna gritando: "Warren!", e finalmente puseram o prato no chão para esperar.

Nada aconteceu. Jasper começou a assobiar. Gwenda começou um jogo da velha com Tamara.

— A hora está mais próxima...! — disse Call em voz alta, esperando que o pequeno lagarto fosse incapaz de resistir a terminar sua frase predileta.

— O quê? — perguntou Gwenda, e então deu um gritinho quando Warren saiu rapidamente das sombras. Ele foi direto para o prato e devorou um grilo.

— Delicioso — exclamou Warren. — Muito obrigado pela comida gentilmente fornecida.

— Warren — disse Call. — Precisamos de ajuda.

— Warren adivinhou isso — retrucou Warren, descartando o líquen. Em seguida, engoliu mais alguns grilos. — Vocês viram o Devorado do Caos, é? Vocês sabem por que Warren avisou vocês.

— É, a gente sabe — confirmou Call.

— Se bem que no futuro a gente agradeceria se os avisos fossem mais concretos, sabe? — disse Jasper, fracassando totalmente em agarrar Warren para interrogá-lo. — Chega de embromar. Diga o que você quer dizer.

O lagarto o encarou com um ar sombrio e comeu o último grilo.

— Venham com Warren. Tenho uma coisa para mostrar.

— Ele sempre fala de si mesmo na terceira pessoa? — sussurrou Gwenda enquanto todos seguiam Warren pelo corredor.

— Nem sempre — respondeu Call. — Não é um negócio consistente.

Gwenda murmurou algo sobre não conseguir acreditar que estavam fazendo isso. Era tarde e os corredores estavam pouco iluminados. Não havia ninguém perambulando enquanto se apressavam atrás do lagarto, que virava as esquinas tão rapidamente que logo todos estavam perdidos. Call sentiu os colegas ficando inquietos à medida que o chão ia descendo cada vez mais e as paredes tornavam-se mais manchadas de umidade. Era como se sentisse o peso de toda a montanha acima dele.

Finalmente chegaram a uma passagem que de tão estreita se parecia mais com uma fenda na rocha. Warren entrou, obviamente esperando que os outros viessem atrás. Grande demais para passar, Devastação parou junto da entrada, inquieto.

Call olhou para Tamara, que engoliu em seco e deslizou no espaço atrás do lagarto. Precisaram arrastar os pés de lado para prosseguir, com a pedra comprimindo as costas e a barriga. Call podia ouvir Jasper reclamando que deveria ter comido menos líquen no jantar. *Por favor, por favor, não me deixe morrer entalado aqui*, rezou Call, *e eu vou fazer tudo que puder para derrotar o Alex.*

Ouviu Tamara ofegar com alívio, e um instante depois saiu do espaço estreito como uma rolha saltando de uma garrafa.

Por toda volta havia paredes de rocha vulcânica endurecida, preta e áspera. O calor era intenso. Jasper e Gwenda também estavam ofegantes ao chegar. O fogo era audível à distância, estalando como um trovão.

— Onde estamos? — Jasper olhou ao redor.

Um corredor largo passava entre duas longas fileiras de jaulas com barras feitas de ouro reluzente esculpidas com símbolos de fogo. Call já havia estado ali, mas tinha acessado o local pelo escritório de Anastasia Tarquin.

— É aqui que eles mantêm os Devorados — disse Tamara baixinho. — Os que foram consumidos pelos elementos. Essa área é para o fogo.

— Warren? Warren, o que você está fazendo? — perguntou Call. — Como viemos parar aqui?

— Há uma passagem secreta em cada lugar — respondeu Warren. — E alguém aqui quer ver vocês.

Ele começou a andar rapidamente pelo corredor. Depois de um momento os quatro foram atrás. Estava tão quente que Call sentia os pulmões queimando a cada respiração. Tamara e os outros também pareciam péssimos. Call ficou feliz por Devastação não ter vindo: um casaco de pele era a última coisa da qual alguém precisaria aqui.

A maioria das jaulas estava ocupada pelo que pareciam fogueiras rugindo; algumas eram azuis ou verdes, a maioria vermelha e dourada. Numa delas pingava lava do teto, como uma chuva feroz. Uma roda de fogo girava no ar.

Tamara parou diante de uma jaula vazia. O interior era de pedra escurecida. Seu lábio tremeu.

— Ravan — disse, tocando as barras.

— Sua irmã está livre.

A voz estalou como o próprio fogo. Call soube imediatamente quem era. Todos se viraram para a jaula do outro lado.

Marcus, Devorado do fogo, estava sentado num trono ardente dentro de sua jaula. Era inteiro feito de fumaça preta, a não ser por dois olhos ardentes, feitos de fogo. Marcus fora professor de Mestre Rufus, até que deixou o fogo controlá-lo.

Warren correu guinchando para a jaula de Marcus e subiu por uma perna enfumaçada. Empoleirou-se no joelho do Devorado, que começou a coçar suas costas escamosas. Warren fechou um pouco os olhos e ronronou. Call tinha visto muitas coisas esquisitas, mas precisou admitir que essa era uma das mais estranhas.

— Uau — sussurrou Gwenda.

Por dentro, Call concordou. Foi até as barras da jaula, o mais perto que podia sem se queimar.

— Marcus, precisamos da sua ajuda — disse. — Você nos ajudou antes.

— E qual foi o benefício para mim? Ainda estou aqui, dentro dessa jaula.

— Você fez o bem para o mundo — declarou Tamara com firmeza. — Você nos ajudou a derrotar o Mestre Joseph.

— E agora o aprendiz dele se ergue mais poderoso do que ele jamais foi. Talvez não exista vitória, crianças do Rufus.

— Ele só se tornou meu Mestre recentemente — explicou Jasper. — Quero dizer, só para deixar claro.

— Marcus — disse Call com firmeza. — O que você sabe sobre Alex Strike? O Devorado do Caos.

— Ouvi boatos de que uma criatura assim havia surgido. A princípio não acreditei. Ser Devorado do Caos é ser dominado pelo vazio. Pelo que não existe. O buraco oco no coração do redemoinho.

— Bem, pode acreditar — disse Tamara. — Automotones voltou?

— Muitos retornaram — respondeu Marcus. — O Primeiro Devorado foi consignado ao caos. Mas ele conseguiu rasgar uma porta para o nosso mundo e voltar. Trouxe os que ele achou que poderiam ser úteis aqui: Azhdala, o Grande Dragão. Automotones. Os mais violentos Dominados pelo Caos que já foram lançados no vazio. Todos retornaram ao lado dele.

— E Stanley? — perguntou Jasper.

— Quem, diabos, é Stanley? — reagiu Gwenda.

Até Marcus ficou perplexo. Call suspirou.

— Stanley foi um Dominado leal a Constantine. A mim. Sei lá. E também não acho que Stanley era o nome verdadeiro dele; é só como eu o chamava.

— *Stanley?* — perguntou Gwenda.

— Esquece — disse Tamara. — Marcus, precisamos saber como matar um Devorado do Caos.

— Precisam mesmo — respondeu Marcus.

Call estava frustrado e suado.

— Por que você queria ver a gente? Warren disse que você pediu para nos trazer aqui.

Ao ouvir seu nome, o lagarto subiu rapidamente até o ombro de Marcus e começou a massageá-lo como um gato faria, projetando a língua no ar quente. Call supôs que eram mais íntimos do que ele imaginava.

— Foram vocês que procuraram o Warren — lembrou Marcus. — Eu mandei que ele os guiasse até mim por causa de Rufus. Se eu não tivesse me tornado um Devorado, o Mestre Rufus poderia se distrair menos, ficar menos disposto a permitir que o Mestre Joseph se aproximasse de Constantine. Todos nós somos parcialmente responsáveis pelo Inimigo da Morte, e eu gostaria de me desincumbir da minha parcela ajudando a derrotar essa nova ameaça.

— Ótimo — disse Call. — Então me ajude. *Nos* ajude!

Marcus o encarou com olhos ardentes.

— Tudo de que você precisa já está com você.

Ele está falando de mim?, perguntou Aaron.

— Isso não está ajudando! — reagiu Call. — Explique o que diz, para variar. Chega de charadas!

— Boa sorte, magos — disse Marcus, depois explodiu numa coluna de chamas.

Quando o fogo morreu, não havia ninguém ali a não ser Warren, as pedras preciosas em suas costas reluzindo mais do que nunca.

— Agora vou levar vocês para casa — disse o pequeno lagarto, disparando à frente deles sem esperar resposta, obrigando-os a correr atrás.

— Aquele era o *Mestre Marcus* — disse Gwenda. — Não acredito que você o conhece. E não acredito que a gente acabou de falar com ele. Ele é uma lenda. E é aterrorizante. Uma lenda aterrorizante.

— É. — Jasper estava um pouco pálido. — Para ver como nós somos maneiros.

A perna de Call doía enquanto ele percorria os túneis com dificuldade, sentindo-se o oposto de "maneiro". Diante da Assembleia tinha agido como se fosse capaz de descobrir um modo de impedir Alex. Mas, no caminho das partes menos sufocantes do Magisterium, ele começou a desanimar.

Vamos ficar bem, disse Aaron, mas não parecia totalmente seguro.

Warren fez uma pausa, subindo numa pedra acima de um riacho sinuoso que atravessava as cavernas. Estavam de volta a um ambiente familiar.

— A hora é agora — disse Warren.

— Espera aí — reagiu Gwenda. — Achei que ela estava *mais perto do que a gente imaginava*.

— A hora é agora — repetiu Warren, depois disparou para as sombras.

Gwenda se virou para Call.

— Ele sempre diz *isso*? Por favor, diga que isso é normal.

— Ah... — respondeu Call. — Não.

— Deixem os enigmas do Warren para lá — disse Tamara, espanando seu uniforme e prendendo uma mecha de cabelo atrás da orelha. — Talvez a gente esteja pensando demais. Talvez a gente precise é de uma arma.

Jasper a encarou.

— Que tipo de arma?

O olhar de Tamara era feroz.

— É isso que vamos descobrir.

↑≋△○@

Algumas horas depois tinham coberto a mesa, o sofá e um grande trecho do piso da sala compartilhada com livros trazidos da biblioteca. Cada um deles tinha uma pilha e folheava páginas em busca de armas que pudessem ser úteis contra Alex.

Notaram que os magos tinham feito muitas coisas no decorrer dos anos, ainda que poucas chegassem ao nível de algo como o Alkahest, que podia matar usuários do caos com sua própria magia e que Alex modificara para roubar as habilidades de Makar de Aaron e que, felizmente, havia sido destruído. A maioria dessas ferramentas era útil, mas ao mesmo tempo eram coisas bobas como facas que voltavam à mão de quem as lançava. Algumas eram simplesmente esquisitas.

— Encontrei uma machadinha que corta a cabeça de três pombos com um único lançamento — disse Jasper, levantando o olhar do livro e franzindo a testa. — Quem perderia tempo fazendo uma coisa assim?

— Alguém que realmente odeie pombos — respondeu Gwenda bocejando.

Nesse momento houve uma batida à porta. Ao abri-la, Call deu de cara com alguns alunos do Primeiro Ano, inclusive Axel e a menina que fora carregada pelo dragão.

— A gente só queria agradecer — começou Axel. — Porque você é incrível.

— Eu me chamo Lisa — disse a menina, estendendo um desenho para Call. — A gente queria que você soubesse que nunca vamos acreditar em nada de ruim que alguém fale a seu respeito. Você é legal e salvou a gente, e eu fiz um desenho disso.

Call não podia negar que era um desenho muito bom. O rosto realmente se parecia com o dele, mas o corpo era muito mais musculoso e mostrava a camisa rasgada, revelando uma barriga de tanquinho.

— Ah... — reagiu Call, sem graça.

Tamara pegou o desenho das mãos dele.

— Isso é *incrível* — disse com um entusiasmo que Call teve certeza que era resultado de zombaria. — Você é talentosa de verdade. Vamos pendurar isso na parede.

— Com certeza não vamos — contrapôs Jasper, que adoraria se o desenho fosse sobre ele.

Agradeça a eles, disse Aaron. *Diga que o desenho está ótimo.*

Com Celia dizendo por aí que ele era maligno, Call supunha não poder se dar ao luxo de manchar ainda mais a própria imagem. Talvez aquelas crianças do Ano de Ferro pudessem ajudá-lo a ser benquisto novamente pelos outros alunos

— Obrigado — disse a Lisa. — Está ótimo.

— Está *mesmo* — concordou Tamara.

— A gente só queria que você soubesse — explicou Axel. — Qualquer coisa que você quiser, a gente faz. A gente vai ajudar. De verdade, qualquer coisa.

— Vocês são um doce — disse Tamara.

Um riso malicioso surgiu no rosto de Call. Esse era um presente com o qual ele sabia o que fazer.

— Ótimo — declarou. — Como vocês podem ver, nós estamos muito ocupados, então que tal irem ao Refeitório e trazer um pouco daqueles bolos de líquen com gosto de pizza? Depois eu preciso de mais uns livros da biblioteca...

— Call! — exclamou Tamara, interrompendo-o.

Ele lançou a ela um olhar inocente.

— Talvez só os bolos de líquen, por enquanto — disse aos alunos do Ano de Ferro.

Eles concordaram e obedeceram.

— Eles não são seus serviçais — reagiu Tamara.

— Acho que você vai acabar percebendo que são — disse Call, depois admitiu: — Acho que ganhei um Ponto de Suserano do Mal por isso.

— O quê? — perguntou Tamara.

— Depois eu te explico.

Call percebeu que talvez não quisesse que ela soubesse sobre a lista de Suserano do Mal. E definitivamente não queria que Jasper e Gwenda, que olhavam para ele de um jeito estranho, começassem a contar pontos para ele.

Se não existir nenhuma arma nesses livros, vamos precisar pegar pesado, disse Aaron. *Sei que você não quer olhar as lembranças, mas talvez elas sejam nossa única esperança de derrotar Alex.*

Não vai ajudar ninguém se eu virar uma bomba em vias de explodir, pensou Call de volta. Sentia falta dos dias em que acreditava que colar numa prova ou pegar a última fatia de pizza bastava para transformá-lo num cara mau. As lembranças bloqueadas eram perigosas e tentadoras. E se ele pudesse salvar o mundo, mas se perdesse no caminho?

Se ele virasse Constantine, no entanto, será que desejaria derrotar Alex?

Call voltou à tarefa, porém a cada página que virava sentia as opções diminuindo.

↑≋△○@

Quando terminaram de examinar todos os livros, os bolos de líquen eram uma lembrança distante. Estavam frustrados e com fome. Por fim, Gwenda se levantou e se espreguiçou.

— Ok — disse. — A gente precisa descansar um pouco.

— Você acha que Alex está fazendo isso? — perguntou Jasper. — O mal nunca descansa, Gwenda.

— Bem, Gwenda está certa. A gente precisa parar — disse Tamara. — Vamos à Galeria nadar um pouco. Quem sabe alguma ideia surge se estivermos com a mente relaxada.

— Açúcar pode ajudar — concordou Call. — Açúcar e cafeína.

— Ótimo — disse Jasper, percebendo que todos estavam contra ele. — Mas não vamos pendurar aquele desenho do Call na parede.

— Isso mesmo — concordou Tamara. — Vamos pendurar na geladeira.

E assim o fez.

↑≋△○@

A Galeria estava surpreendentemente cheia de alunos. Call achava que, depois dos eventos traumáticos do dia, especialmente a morte do Mestre Rockmaple, o lugar estaria escuro e desanimado. Mas estava apinhado de gente fazendo barulho e se divertindo.

Tamara deu de ombros.

— Negação.

As pessoas entravam e saíam das piscinas quentes e frias. Havia vários sofás macios, de veludo dourado, ao redor do ambiente e uma tonelada de alunos se esparramava neles, tomando bebidas de cores fortes: azuis, verdes, laranjas e cor-de-rosa.

— As pessoas precisam se distrair. É normal.

Gwenda e Jasper já estavam no comprido balcão de pedra, enchendo pratos com doces e líquens crocantes com sabor de queijo nacho. Call pegou um chá gelado e açucarado e Tamara um copo de alguma coisa com framboesa e lichias enormes.

Todos iam para os sofás moles quando Call parou de repente. Celia estava sentada ali com Charlie e Kai, usando uma blusa amarela florida e rindo. Parecia despreocupada — pelo menos até que se virou e o viu, e seu rosto ficou imóvel.

— Talvez seja melhor a gente ir para outro lugar — murmurou Call.

— Ora, mas vejam só quem teve o desplante de aparecer aqui — disse alguém.

Não era Celia. Era um garoto que usava camisa de brim e short de natação, tinha cabelo ruivo e pernas compridas e magricelas. Call achou que o conhecia, mas não teve certeza.

Colton McCarmack, disse a voz de Aaron em sua cabeça. *Ele era amigo de Jennifer Matsui, antes de ela morrer.*

Call sentiu um frio no estômago. Ele tinha trazido Jen de volta para a vida como uma Dominada pelo Caos. Não por escolha, mas mesmo assim foi terrível.

— Olha, não queremos encrenca — disse, levantando a mão. — Vamos sentar em outro lugar.

— Basta você estar no Magisterium para existir encrenca — disse uma garota sentada perto de Colton. Tinha cabelo preto e curto com franja tingida de um azul forte.

Yen Ly, disse Aaron. *Namorada dele.*

Você conhece TODO MUNDO?, pensou Call, exasperado.

Só estou tentando ajudar. Aaron pareceu chateado.

— Você era amigo do Alex — disse Colton, inclinando-se à frente. — Não era?

— Que negócio é esse, Colton? — perguntou Tamara, com as mãos nos quadris. — Alex fingiu que era nosso amigo. Ele matou Aaron, que era o contrapeso do Call. Sem dúvida você não vai sugerir que nós somos grandes fãs dele.

— Deixem o Call em paz — disse Kai, parecendo meio sem graça, e então pigarreou: — Todo mundo viu quando ele salvou aquelas crianças hoje à tarde. E quando destruiu a magia do caos de Alex Strike. Obviamente ele está do nosso lado.

— Obviamente demais — disse Colton. — Alex já tinha conseguido o que queria. Acho que tudo foi combinado para parecer que o Call estava lutando contra o Devorado, quando na verdade está mancomunado com ele.

— Mancomunado com ele? — ecoou Jasper. — Quem fala assim?

— E você. — Colton se virou para Jasper. — Seu pai não se juntou com o Mestre Joseph? Você fala como se nós tivéssemos motivo para acreditar que você é leal aos magos, mas de algum modo, quando Call foi tirado da prisão, você e Tamara estavam lá. Tamara, cuja irmã Kimiya é namorada de Alex. Todo mundo sabe que vocês dois são tão corruptos quanto ele.

À menção de seu pai, Jasper pareceu se encolher.

A fúria saltou dentro de Call.

— Não viaja — disse rispidamente. — Ninguém está mancomunado com Alex. Jasper nem gosta tanto assim de mim, e nós vamos arriscar a vida de novo para salvar vocês, então a não ser que queiram ocupar meu lugar lutando contra o Devorado, acho melhor vocês deixarem a gente em paz.

— Celia tem razão — disse Colton. — Você não é de confiança, e qualquer um que tope ficar perto de você também não é.

E com isso ele foi andando, com a namorada e os amigos atrás.

Call e os outros voltaram para o alojamento com o coração pesado. Gwenda, que não tinha falado com Colton e também não fora acusada de ser maligna, provavelmente estava avaliando os benefícios potenciais de ser amiga daquele grupo. Call tinha quase certeza de que a conta não estava a seu favor.

CAPÍTULO DEZ

Quando abriu a porta com o balanço da pulseira, Call viu que a parede de pedra estava pegando fogo. Por um momento apenas piscou, até que viu que o fogo escrevia palavras.

ME ENCONTRE NO LUGAR NA HORA DA SUA IDADE.

As letras viraram cinza e sumiram, sem deixar nada para trás.

— Mais esquisitices — disse Gwenda, mal-humorada.

— É uma mensagem de Ravan — explicou Tamara. — Ela se comunica com fogo. É a linguagem dela. E a caligrafia é dela.

— Certo — concordou Jasper. — Mas o que ela quis dizer?

— O "lugar" é provavelmente o lugar onde eu me encontrei com ela no ano passado — respondeu Tamara. — No terreno do Magisterium.

— Lá fora? — perguntou Gwenda.

Tamara assentiu.

— Mas "a hora da sua idade"? Ela quer dizer o dia do meu aniversário?

— Ou a hora em que você nasceu? — interveio Jasper. — Como você saberia? A não ser que ligasse para sua mãe, ou algo assim.

Dezesseis horas, disse Aaron.

Call abriu a boca para dizer que Aaron tinha deduzido, quando se lembrou de que isso seria um erro.

— Quatro da tarde — disse. — Porque ela tem dezesseis anos!

— Isso só nos dá vinte minutos! — exclamou Gwenda, e eles correram para fora.

Call levou Devastação. O lobo podia não estar mais Dominado, mas nunca se sabe quando vai precisar da lealdade de um bicho como ele.

Correram pelos túneis do Magisterium em direção ao Portão da Missão. Uma vez do lado de fora, Call não conseguiu deixar de pensar na chegada de Alex com o dragão, especialmente porque, à distância, a torre idiota que ele exigira estava sendo construída. Magos voavam levantando blocos de pedra com sua magia, cada qual pousando em cima do outro à medida que o edifício ia crescendo. Podia ser ridículo, mas o negócio estava sendo feito e Call ia ficando sem tempo.

— É aqui — disse Tamara quando chegaram a um bosque. Ela subiu numa pedra e se sentou.

Por um momento esperaram, absorvendo o cheiro das folhas de pinheiro. Longe dali, um lobo uivou e Devastação levantou as orelhas.

Então, de repente, como uma fagulha voando de uma fogueira, Ravan surgiu.

Estava mais parecida com uma garota do que Call jamais tinha visto. Uma nuvem de chamas a cercava, e a mão direita era toda feita de fogo, como um Alkahest ardente. Os olhos também eram labaredas e o cabelo lançava fagulhas. As formas, no entanto, ainda eram as de uma garota, e, embora fosse irritante, Call podia ver a semelhança com Tamara. Isso o deixou desconfortável por motivos que ele não conseguia articular para si mesmo.

Porque a ideia de uma coisa assim acontecendo com Tamara deixa você maluco, disse Aaron. *Porque você gosta dela.*

E DAÍ?, pensou Call. *Não é da sua conta.*

É sim, enquanto eu estiver preso aqui. Além disso, espero que vocês, seus malucos, façam a coisa dar certo.

— Ravan. — Tamara se levantara, parecendo entender que era a porta-voz não oficial do grupo. — Obrigada por vir.

— Você é minha irmã. — Fagulhas voavam da boca de Ravan enquanto ela falava. — Você queria que eu viesse e eu vim. O que houve?

Tamara ficou mexendo em seu colar.

— Precisamos saber como matar um Devorado.

Ravan começou a rir, um gesto que se parecia com fogos de artifício explodindo. Jasper recuou alguns passos, obviamente com medo de fagulhas baterem na sua roupa.

— Por que eu contaria isso?

— Porque, se não contar, Alex Strike vai me matar, e vai matar Kimiya também — respondeu Tamara.

Ravan parou de rir e ficou ali, pairando e queimando enquanto Tamara explicava o que estava acontecendo: a construção da torre, as exigências de Alex, a incapacidade de Call feri-lo usando o caos.

— Não queremos fazer mal a nenhum outro Devorado — terminou Tamara. — Mas precisamos nos livrar de Alex, Ravan. Caso contrário, ele pode matar um monte de gente.

— Sei. Posso dizer que nunca ouvi falar de um Devorado do Caos. Um Devorado é morto como os elementais: são destruídos por seu elemento oposto. Eu poderia ser morta por um Devorado da água, ou por uma enorme quantidade de magia de água, meu fogo sendo apagado para sempre. — Ela parecia cheia de pavor. — Mas o caos...

— O oposto do caos é a alma — disse Call. — Não existe uma coisa como um Devorado da alma.

— Não pode existir — concordou Ravan. — Uma pessoa não pode ser devorada pela própria alma. Seria como ser assassinado pela vida.

— Bom, então o que a gente deve fazer? — perguntou Gwenda. — Não podemos mandar almas contra ele.

— Não sei — disse Ravan. — Eu ajudaria se pudesse.

Tamara pareceu tremendamente desapontada.

— Então, se você ouvir algum outro elemental ou Devorado falando sobre um modo de se livrar de Alex, pode me dizer? Por favor?

— É óbvio, irmãzinha. Fique em segurança. Se precisar de mim, eu virei de novo.

E, com isso, Ravan explodiu num tornado de chamas, girando no ar e depois desaparecendo em fagulhas, como se nunca tivesse estado ali.

Os quatro ficaram sentados em silêncio, suas esperanças destroçadas. A mente de Call estava a mil — sem dúvida tinha de haver alguma alternativa, alguma outra ideia, mais alguém a quem pudessem perguntar. Devastação latiu quando uma fagulha passou perto demais de seu pelo. Call achou que até o lobo parecia deprimido.

Longe dali um uivo ecoou na mata.

— O que foi isso? — perguntou Jasper, se empertigando.

— Provavelmente um dos lobos Dominados... — disse Gwenda, deixando a frase no ar.

Desde que chegaram ao Magisterium, a floresta era cheia de criaturas Dominadas pelo Caos. A Ordem da Desordem tinha até vindo para estudá-los. Mas então a Assembleia arrebanhou todas, e ainda que Call as tivesse salvado desse destino, elas não estavam mais na floresta.

— Talvez eles tenham voltado.

Tamara pulou da pedra e foi até a beira da mata.

Outro uivo soou, este muito mais perto. Então, vindo da direção oposta, um dos lobos surgiu. Era uma forma escura, como se tivesse sido recortada de papel, com o nada ocupando o lugar onde o animal deveria estar. Os pelos das costas de Devastação se eriçaram. Esses não eram lobos Dominados, pelo menos não mais. Tinham voltado do vazio com Alex e agora eram elementais do caos, muito mais poderosos e aterrorizantes.

Um fogo surgiu no centro da palma da mão de Tamara e a bola foi crescendo à medida que ela se levantava. Devastação mostrou os dentes e correu na direção das feras.

— Não! — gritou Call.

Ele correu atrás do lobo e tropeçou, caindo dolorosamente sobre os joelhos enquanto Gwenda saltava para ficar ao lado de Tamara, levantando as mãos. Pequenos pedaços de ferro e níquel serrilhado começaram a brotar da terra enquanto Gwenda invocava metal, depois voaram na direção das criaturas do caos que saíam de todas as direções da floresta.

Umas poucas uivaram e caíram para trás, com o metal rasgando buracos em seus corpos de fumaça. Call conseguia ver a floresta *através* dos ferimentos.

— Fiquem de costas com costas — gritou Jasper.

Call se levantou, pronto para mandar os elementais de volta para o caos. A questão é que as criaturas haviam chegado perto demais de Tamara, e Call temia que a abertura de um portal pudesse puxá-la como fizera com o Mestre Rockmaple.

Devastação chegou perto de Tamara e ficou entre ela e as criaturas do caos, rosnando.

Precisamos fazer alguma coisa, disse Aaron, o que não era particularmente encorajador.

Call lançou um raio de energia do caos para um dos lobos que chegavam mais perto. O bicho desapareceu, dispersado por ele e transformado em nada.

Dois dos lobos correram para Gwenda, vindo de direções opostas. Ela sacou metal e lançou contra um deles, acertando a criatura na garganta, fazendo-a voar para trás. Jasper se jogou na frente do outro lobo, criando um vendaval enorme que quebrou os galhos das árvores e fez o bicho voar contra uma pedra.

Tamara lançava fogo contra os lobos perto dela, porém outros se reuniam em volta. Call começou a sentir pânico, disparando raios de caos na direção dos lobos. Gwenda ainda estava atirando metal, buracos profundos se formavam no chão ao seu redor, e ela começava a entrar em desespero. Call sabia que sua reserva de metal estava acabando. Tamara e Jasper estavam com o rosto tenso de exaustão.

Eram muitos lobos, perto demais de Tamara, Gwenda e Devastação. Seria impossível mandar todos para o vazio a tempo. Um deles saltou para a garganta de Tamara, os dentes se fechando perto da pele.

As lembranças, pensou Call, em pânico. Acessando as lembranças de Constantine ele saberia o que fazer. Constantine era o Inimigo da Morte. Ele lidaria com essa situação.

Call respirou fundo. *Aaron...*

Tem certeza?

— Destranque — disse Call. — Agora.

Certo.

Foi como se alguma coisa estivesse sendo rasgada dentro da cabeça de Call. Ele tombou de joelhos, apertando as têmporas. Devastação correu até ele e colocou a pata em seu braço; Call baixou a cabeça, consciente de que havia fogo e metal voando ao redor. Sua perna lançava pontadas de dor que o atravessavam, tão intensas quanto a pressão e a dor em sua cabeça.

Aaron, disse ele. *Aaron, o que quer que você esteja fazendo, acho que não consigo...*

O bloqueio em sua mente se abriu bruscamente como um portão, inundando o cérebro com imagens. Tinha consciência de Devastação fazendo um barulho terrível, uma espécie de ganido enquanto saltava para longe de Call, encolhendo-se.

Uma força brotou dentro de Call, brutal e aterrorizante. Ele se colocou de pé, ao mesmo tempo em que a floresta ao redor parecia se mexer e oscilar — outras lembranças se sobrepunham a essa floresta, de florestas de árvores antigas e densas, de caminhos escuros serpenteando, cheios de ferozes monstros elementais.

E, através de tudo isso, Call enxergava algo que nunca tinha visto. O caos, caos vivo, suas linhas pretas correndo pelo mundo. O céu e a terra escurecidos. Era por isso que o caos tinha tanto poder, pensou — porque ele fazia parte de tudo, de cada pedra, árvore e nuvem; estava dentro e em volta de todas as coisas. Era o coração giratório do mundo.

Estendeu as mãos como se desejasse pegar algo simples como um copo ou uma pedra. Alcançou as espirais dessa energia e puxou todas ao mesmo tempo, tecendo uma enorme chama preta e giratória entre as mãos.

Os outros gritavam seu nome, mas não importava. Ele sabia exatamente o que estava fazendo. Em algum lugar na sua mente Aaron gritava. Call estendeu os braços e a chama preta explodiu de seus dedos, golpeando os lobos elementais e rasgando-os em pedaços sombrios.

Jasper tinha se jogado na frente de Gwenda e Tamara. Todos olhavam, atônitos, os lobos virando cinza e um fogo preto subindo e descendo pelos braços de Call, estalando como relâmpagos.

— Call! — gritou Tamara. — *Call!*

Mas Call não escutava. Tudo que via e ouvia era o fogo preto, todas as suas lembranças eram de coisas queimando. Na verdade, as lembranças jorravam em sua mente num maremoto incontrolável. Enquanto rolava para dentro da escuridão, percebeu que ele mesmo gritava.

CAPÍTULO ONZE

Estava numa caverna de gelo. O frio fazia sua respiração cristalizar no ar. Podia senti-lo mesmo através da capa pesada, mesmo através de sua magia. Sentia uma dor terrível no peito e a toda volta havia mortos e moribundos.

Precisava agir rápido se não quisesse virar um deles.

Tinha vindo aqui para golpear os velhos e enfermos, os fracos, porque sabia, por longa experiência, que o medo era mais palpável do que o poder. Não lhe dava prazer atacar idosos, crianças, pessoas doentes. Mas a pessoa mais fria é sempre a vencedora, e ele queria vencer. Estava disposto a fazer o que fosse preciso, independentemente do quão horrível fosse, e estava disposto a fazer pessoalmente em vez de confiar a tarefa a algum subalterno.

Jamais imaginaram que um grupo de pessoas tão fracas e sem firmeza montasse uma reação dessas. Os Dominados pelo Caos que ele havia trazido estavam destruídos, caídos em sua segunda morte, e ele mesmo estava ferido. Tremendamente ferido.

Seu corpo falhava, o coração ficava lento, os pulmões se afogavam no próprio sangue. Procurou um novo invólucro. Sarah Hunt, que tinha mandado as facas mágicas contra seu peito? Ele tinha conseguido virar algumas lâminas de volta para golpeá-la, e agora ela estava encostada na parede, mortalmente ferida, espiando os movimentos dele com olhos cautelosos, cada vez mais opacos. Não, ela não viveria por muito mais. Olhou alguns dos avós, cujos corpos protegiam crianças. Mortos, todos mortos.

Um grito fraco, esgarçado, soou, e ele viu um bebê ainda vivo nos braços de um homem — Declan Novak, irmão de Sarah. Declan escorregara contra a parede perto da irmã. O mago fez cálculos rápidos. Não sabia se seu poder de Makar iria com ele ao entrar nessa criança. Em todas as outras ocasiões tinha tomado o cuidado de possuir o corpo de um Makar — se o poder não fosse junto, talvez finalmente encontrasse seu fim.

Deu um passo longo e poderoso mais para perto do bebê, ignorando os gritos de Sarah para ficar longe. A criança chorava, o que era um bom sinal. Ainda estava forte, era uma sobrevivente, com cabelos pretos e punhos que se sacudiam raivosos.

Um bebê. Como um bebê, ele não poderia fazer magia nem sair da caverna. Ficaria indefeso. Teria de se arriscar à possibilidade de alguém chegar. Pior, tinha medo de que a mente não formada fosse esmagada com toda a vastidão de suas lembranças. No entanto, o corpo de Constantine se esvaía depressa. Nunca duraria tempo o bastante para encontrar outro candidato.

Suas lembranças precisariam ser trancadas dentro daquela mente nova e vulnerável, ele decidiu rapidamente. Era uma boa solução, de certa forma: só quando aquele bebê fosse um mago forte e suficientemente sábio para encontrar essas lembranças dentro da própria cabeça elas seriam libertadas. O bebê receberia toda aquela sabedoria apenas quando estivesse pronto para isso. Afinal de contas, sem suas lembranças, como ele voltaria à glória?

E ele, Maugris, a Foice das Almas, o Devorador de Homens, o Inimigo da Morte, era destinado à glória. Glória para sempre e sempre, por todos os tempos.

Respirando fundo pela última vez em seu corpo ferido, sua alma saiu do que restava de Constantine Madden e entrou no bebê que chorava, o bebê que tinha sido Callum Hunt.

Esse não é o meu fim, prometeu.

↑≋△○@

Call acordou com um grito e continuou gritando. Alguém o amarrara a uma cama e havia marcas de queimadura na parede, marcas que Call não se lembrava de ter feito. Também não se lembrava das paredes nem do quarto.

— Call?

Era a voz de Jasper e, por um momento, Call ficou quieto. Sabia onde estava, afinal. Ou pelo menos achava que sabia, antes que o quarto se inclinasse e tudo escorregasse para longe.

Então pareceu que estava em mil lugares ao mesmo tempo, que havia uma multidão passando diante dele, tentando falar com ele. Mil vozes gritando. Magos com mantos da Assembleia, homens e mulheres com pele queimada e escurecida, brandindo os punhos cerrados.

— Eu derrotei você em Praga! — gritou Call de volta para um deles. — Era eu, e vou derrotá-lo de novo!

— Isso realmente não é bom — disse a voz de Jasper.

Call se pegou de volta no próprio corpo. Seus pulsos estavam amarrados às colunas de uma grande cama cujo dossel tinha marcas de furos, danos provocados por água e fumaça. Seus ombros doíam.

— Sou eu — disse Call, com a voz rouca e a garganta doendo. — Cadê o Aaron?

Estou aqui, disse a voz de Aaron na sua cabeça. — *Call, você precisa se controlar. Empurre as lembranças para longe, tranque-as de novo. Você estava certo...*

Jasper parecia preocupado. Call não sabia por que ele estava perto da sua cama.

— Aaron morreu — disse ele. — Call? Você sabe onde está? — Em seguida correu até a porta. — Tamara! Ele está falando!

Uma garota entrou correndo no quarto. Tinha pele marrom, cabelo escuro, era linda. Call a conhecia, mas a lembrança escapava para longe. Ele agarrou as cordas presas nos pulsos, tentando se segurar.

— O que está acontecendo? — perguntou. — O que aconteceu?

A garota — *Tamara, Tamara* — chegou perto da cama com os olhos cheios de lágrimas.

— Call, qual é a última coisa da qual você lembra?

— A caverna de gelo — respondeu Call, e viu os dois o encararem horrorizados logo antes de ele despencar.

↑≋△○@

Estava num enorme cômodo de pedra. Constantine Madden andava para um lado e para o outro diante de uma grande plataforma de granito, com a máscara de sempre baixada sobre o rosto cheio de cicatrizes. Em cima de uma grande plataforma de granito havia uma tumba, e dentro da tumba um corpo — um corpo que Maugris reconheceu facilmente. Ele conhecia muito bem os irmãos Madden. Era Jericho, irmão de Constantine.

Jericho estava imóvel, morto, mas Constantine era o oposto. Andava de um lado para o outro, a máscara prateada que escondia metade do rosto coberto de cicatrizes brilhava. Falava repetidamente com o irmão, dizendo que iria trazê-lo de volta, que ele nunca deveria ter morrido, que o Magisterium pagaria. A própria morte seria destruída.

Maugris olhava com interesse. Ele entendia o ódio contra a morte. Tinha passado gerações e séculos evitando-a. Olhando os dedos elegantes, mas enrugados de sua própria mão — dessa vez era a mão de uma mulher — soube que poderia ter facilmente uma década ou três no corpo. No entanto, Constantine, em seu estado atual, poderia não durar tanto. Iria se exaurir: era todo feito de ambição e impulso e nenhuma estratégia.

Mestre Joseph fizera um bom trabalho, isolando-o do Magisterium, das pessoas que gostavam dele. Maugris se permitiu um momento de prazer e orgulho ao apreciar aquele mago. Um homem derrotado a ponto de ser manipulado, derrotado a ponto de derrotar aquela criança, tinha sido uma escolha excelente como aprendiz. No entanto, ele nunca havia suspeitado qualquer coisa de sua Mestra, a não ser de inflamar suas próprias ambições. Certamente nunca suspeitou de que ela era Makar. A boca do corpo de mulher que ele usava se curvou num sorriso.

A última vez em que ascendeu no poder, a última vez em que tentara arrancar um naco do mundo dos magos, fora num passado suficientemente distante para que jamais o conectassem aos que tinham vindo antes. Esse era o valor de permanecer discreto durante várias gerações: dava tempo para o mundo esquecer. Mas esse novo Makar tinha executado alguns experimentos interessantes. Fracassara em trazer os mortos de volta, mas havia dado a Maugris uma ideia para um exército. Um exército impossível de ser derrotado.

Era hora de se tornar Constantine Madden.

Isso tudo já foi e será de novo.

Call abriu os olhos novamente, de volta ao quarto de pedra com a cama. As marcas de queimadura não estavam mais na parede, mas ele não tinha certeza se as havia imaginado ou se simplesmente tinham sido lavadas. Escutou um uivo. Devastação? Lobos do caos?

— Call? — disse uma voz suave, e ele virou a cabeça. — Agora está se lembrando de quem você é?

Celia estava ali, o cabelo louro e fino puxado para trás e preso com uma faixa, o rosto tão pálido que destacava a vermelhidão em seus olhos. Call franziu a testa para ela, tentando situá-la em suas lembranças. Ela não gostava dele.

Será que ele havia derrubado a torre dela e queimado todas as suas terras? Assassinado sua família? Cuspido na sopa dela? Havia crimes demais se agitando em sua cabeça.

— Call? — repetiu ela, e ele percebeu que não havia respondido.

— Você... — grasnou ele, levantando um dedo para apontar.

Ela também havia feito alguma coisa, ele se lembrava disso.

— Sinto muito — disse Celia. — Sei que você deve estar imaginando por que estou aqui depois de ter sido tão horrível. E eu fui mesmo horrível. Eu estava com medo. Tinha pessoas da minha família aqui no Magisterium quando seu pai... e *você*, quero dizer, não você de verdade, mas *ele*. — Ela parou de falar, nitidamente atrapalhada com as palavras. — Quando Constantine estava na escola, ninguém achava que ele iria se transformar no Inimigo da Morte. Sabiam que ele se achava o máximo por ser o Makar, ele acreditava que podia fazer coisas que mais ninguém podia, e nada disso parecia muito ruim. Até que ficou. Eu perdi vários parentes na Guerra dos Magos, e ao longo da vida eu fui repetidamente alertada de que precisaria ser corajosa para enfrentar Constantine, mas que se alguém tivesse feito isso, nenhuma dessas coisas teria acontecido.

Assassinei a família dela, pensou Call. *Foi isso que eu fiz.*

Call, disse uma voz em sua cabeça, uma voz que lhe deu um susto. *Call, você precisa se concentrar. Empurre as lembranças para longe.*

— Sei que isso é uma desculpa — disse Celia. — Mas é também uma explicação, e eu queria oferecer isso a você. Eu estava errada e sinto muito.

— Por que agora?

Por que ela havia decidido perdoá-lo quando estivera certa o tempo todo? Ele não era digno de confiança. Nem tinha certeza de que ele era Call.

— Você quase morreu para salvar Jasper — disse ela. — Constantine não faria isso. Talvez ele tivesse feito algumas das outras coisas para parecer que era bom, mas eu não consegui pensar em nenhum motivo para fazer o que você fez, a não ser por amizade a

Jasper, Tamara e Gwenda. E então comecei a pensar nos passeios que a gente dava com Devastação e em como seria horrível se todo mundo pensasse alguma coisa ruim a meu respeito por causa de algo que eu não pudesse controlar. E aí pensei que não era justo que você precisasse estar à beira da morte para que eu refletisse melhor a seu respeito. Então ouvi dizer que você não estava bem e imaginei se as coisas seriam diferentes se a gente não tivesse... se eu não tivesse...

— Não foi isso — começou ele.

Só que de repente a sala se inclinou de novo e seus pulmões se encheram de fumaça. Call estava no convés de um navio e, à distância, viu toda uma esquadra pegando fogo. Viu magos pulando ao mar, tentáculos subindo das profundezas para agarrá-los nesse mesmo instante. Ele precisava avisar a ela. À garota. A garota que sentia muito.

— Existem elementais — disse a ela com urgência. — Embaixo das ondas. Esperando. Vão afogar você, se você deixar.

— Ah, Call — ouviu a garota dizer, a voz suave e entrecortada por soluços.

↑≋△○@

Estava deitado numa cama estreita, de madeira. Sabia que estava morrendo. Sua respiração estava ofegante e o corpo parecia cheio de fogo.

Não era *isso* que tinha planejado para a vida. Havia sido um aluno brilhante do melhor Magisterium do império. Seu professor, o Mestre Janusz, tinha sido o Mestre mais sábio e mais poderoso, que o escolhera primeiro no Julgamento de Ferro. Ele era um Makar, capaz de dar forma ao caos. Tinham-lhe garantido uma vida longa, de poder e riquezas.

E então tinham começado as tosses. A princípio ele havia desconsiderado o sintoma, atribuindo-o à exaustão e às longas noites trabalhando no laboratório que compartilhava com seu Mestre. Então, certa noite, as tosses o dobraram ao meio e ele viu o primeiro jato de sangue vermelho no chão.

O Mestre Janusz trouxera os melhores magos da terra para curá-lo, mas eles nada puderam fazer. Seu poder tinha se esvaído junto com a saúde e ele se tornara um prisioneiro em seu sótão, comendo apenas quando sua senhoria ou o Mestre Janusz traziam comida, esperando furioso pelo inevitável.

Pelo menos até o dia em que percebeu.

Ele sempre soubera. O oposto do caos é a alma. Mas nunca tinha pensado verdadeiramente no que isso significava. Quando finalmente a ideia lhe atingiu, ficou deitado na cama avaliando as possibilidades, analisando o método, a oportunidade...

A porta de seu sótão se abriu. Era o Mestre Janusz. Ainda um homem em seu auge, ele foi rapidamente até a cama do mago agonizante. O homem na cama odiava seu ex-mestre. Como ele ousava ter saúde e um futuro quando já vivera tantos anos?

Fumegou enquanto o Mestre Janusz mexia com seus travesseiros e usava magia do fogo para acender a vela ao lado da cama. O quarto já estava escurecendo. Ouviu o mago mais velho resmungando sobre como ele ficaria bom logo, assim que o tempo esquentasse mais.

— Bobagem — disse, quando não aguentou mais. — Vou morrer. Você sabe, tanto quanto eu.

O Mestre Janusz parou, abalado.

— Pobre Maugris. É uma pena. Você poderia ter sido um grande Makar. Um dos maiores que o mundo já conheceu. É uma vergonha e uma pena você morrer tão novo.

A fúria dominou Maugris. Ele não queria pena.

— Eu teria sido o maior Makar que a história conheceu! — gritou. — O mundo teria tremido diante de mim!

Foi então que o Mestre Janusz cometeu seu erro. Foi na direção do homem deitado na cama, estendendo os braços.

— Acalme-se, meu rapaz...

O mago agonizante usou toda a sua força, não do corpo, mas da mente. A ideia que havia ardido dentro dele ganhou vida. Ele era um manipulador do caos. Por que não manipular também a alma?

Penetrou então em Mestre Janusz com as mãos feitas de fumaça e nada, e viu os olhos do outro se arregalarem. Com toda a força, arrancou a própria alma das amarras que a prendiam e empurrou-a para dentro de Mestre Janusz, ouvindo o grito minúsculo do mago quando sua alma foi forçada para fora, para o nada...

Alguns instantes depois, a porta se abriu com um estrondo. A senhoria, ouvindo a agitação, subiu a escada correndo. Viu a cena que havia esperado: seu jovem inquilino havia morrido, jazia com o rosto branco e imóvel na cama. O Mestre Janusz estava de pé no centro do quarto com uma expressão atordoada.

— O garoto — disse ela. — Morreu?

O Mestre então fez uma coisa muito estranha. Riu de orelha a orelha.

— Sim. Está morto. Mas eu vou viver para sempre.

↑≋△○@

— Aaron. — Era a voz de Tamara. — Aaron, sei que você está aí.

Call abriu os olhos. As pálpebras pareciam muito pesadas. Celia tinha ido embora, se é que realmente havia estado ali. Tamara, sentada perto da cama, segurava sua mão.

Mas era meio estranho ela chamá-lo de Aaron. Tinha quase certeza de que ele não era Aaron. Só que não tinha certeza absoluta. Lembranças giravam em redemoinhos em sua cabeça — um filhote de lobo Dominado, uma torre pegando fogo, um monstro feito de metal, uma sala cheia de magos, e ele era um deles. Um a um foi matando todos, de modo que nunca pudessem agir contra ele. Olhou todos caírem e gargalhou...

— Eu fui a Foice das Almas — grasnou. — O Francelho Encapuzado, Ludmilla de Praga, o Flagelo de Luxemburgo, o Comandante do Vazio. Fui eu que queimei as torres do mundo, que abri o mar, e a morte morrerá antes de mim!

Tamara fez um som engasgado.

— Aaron — disse ela. — Sei que você está aí. Sei que Constantine está fazendo isso. Ele está enlouquecendo Call.

Não é Constantine. As palavras subiam num redemoinho dentro da mente de Call. Ele não sabia direito o que elas significavam, mas tinham uma urgência enorme. Descobriu que palavras se derramavam subitamente de sua boca.

— Não é Constantine — ofegou. — Há outro mago. Mais maligno ainda e mais antigo. As lembranças dele foram bloqueadas, mas nós as desbloqueamos e elas estão explodindo o cérebro do Call.

Os olhos de Tamara se arregalaram.

— Aaron. — O corpo dela saltou para frente. — Aaron, você precisa salvar o Call. Precisa trancar essas lembranças! Criar um muro! E Call, você precisa ajudá-lo. Precisa deixar que ele faça isso.

Por um momento pareceu que ele havia caído de volta no pântano de memórias, que o tempo tinha escorregado e corrido de lado outra vez, mas então outro sentimento surgiu, como um pano frio encostado em sua testa. Era o sentimento de quando alguém entrava em seu quarto bagunçado e guardava tudo por você, mas nos lugares certos, nos lugares onde você mesmo tinha pretendido colocar as coisas.

— Aaron? — perguntou Call, conseguindo se separar da torrente outra vez.

Estou aqui, disse a voz de Aaron. *Você sabe quem você é?*

— Sei.

Na beirada da cama, Tamara estava olhando para Call, preocupada, obviamente tentando usar o bom senso para avaliar se o fato de Call falar consigo mesmo em voz alta era bom ou mau sinal.

E quem, exatamente, você é?, perguntou Aaron, parecendo instigar um gato.

— Callum Hunt. — Ele se virou para Tamara. — Está tudo bem agora, Tamara. Eu sei que sou Callum Hunt. Eu me lembro... bem, me lembro de um bocado de coisas.

Ela soltou o ar dos pulmões e relaxou contra a madeira ao pé da cama.

— Quanto tempo eu fiquei... assim?

Call sentiu a barriga roncar. A cascata de lembranças parecia ao mesmo tempo instantânea e interminável. Ele ainda podia senti-las nos cantos da mente, sussurrando.

— Cinco dias — respondeu Tamara, e Call a olhou boquiaberto.

— Dias?

— Vou trazer um pouco de comida.

Tamara se levantou. Ele segurou seu pulso enquanto ela ia para a porta.

— Preciso contar umas coisas — disse rapidamente.

Ela deu um sorriso suave que não combinava com sua ferocidade usual.

— Mais tarde — disse.

Call estava exausto e desgastado demais para protestar. Viu Tamara sair do quarto e aos poucos, lenta e dolorosamente, foi sentando-se. O corpo inteiro doía, e o pior de tudo era a perna.

Nas lembranças, habitando aqueles outros corpos, sua perna não doía. Mas ele não sentia falta da sensação. Tinha sido horrível ser aquele mago maligno, que não morria. E ser sugado por tais lembranças fora como se afogar, ofegando na busca da consciência como se buscasse ar. Não sabia o que Aaron tinha feito para controlar aquilo.

Você está bem?, perguntou a Aaron. E depois, como estavam sozinhos, perguntou: *Está com medo?*

Estou, respondeu Aaron. Por um longo momento houve apenas silêncio na cabeça de Call. *As duas coisas.*

Tamara voltou carregando pratos de líquen e bebidas doces e gaseificadas. Gwenda e Jasper vieram atrás, trazendo ainda mais comida — sanduíches, pizza — e colocando-as de modo que Call pudesse pegá-las sem sair da cama. Logo seu cobertor estava repleto de pratos.

Tamara voltou para a porta enquanto Gwenda e Jasper se sentavam perto de Call.

— Certo, precisamos contar ao Mestre Rufus que você acordou, mas queríamos falar com você antes — disse em voz baixa. Então estalou os dedos. — E tem mais alguém querendo ver você.

Devastação entrou. Parecia meio triste e olhou nervoso para Call. Para um lobo, ele tinha um jeito fantástico de olhar de esguelha.

— Ei, garoto — disse Call, rouco, lembrando-se de como Devastação tinha se encolhido para longe dele na floresta. — Ei, Devastação.

Devastação veio para perto e cheirou a mão de Call. Aparentemente satisfeito, deitou-se no chão e balançou as patas no ar.

— O Mestre Rufus acha que você ficou doente porque usou magia do caos demais — disse Jasper, mas parecia em dúvida. Provavelmente porque tinha ouvido Call falando sobre as lembranças e sobre queimar cidades.

— Não foi isso que aconteceu — explicou Call.

Ninguém pareceu muito surpreso. Gwenda pegou um sanduíche e mordeu a beirada.

— Olha, preciso contar uma coisa e prometo que é o último segredo que tenho. Tipo, ao menor sinal de outro segredo vindo na minha direção, eu vou desviar.

Mentiroso, disse alguma parte dele. Alguma parte que não era Aaron, mas que ele não podia esconder de Aaron. Afinal de contas, Gwenda e Jasper ainda não sabiam da existência de duas almas dentro dele. Mas pelo menos tinha contado a Tamara. Pelo menos não teria nenhum segredo para ela.

— Ceeeerto — disse Gwenda lentamente. — Então você se lembrou de ter sido Constantine?

— Mais ou menos. Mas me lembro de ter sido outra pessoa também.

— Tipo vidas passadas? — perguntou Jasper.

— Exatamente como vidas passadas, se em vez de reencarnação vocês me imaginarem como um mago que aprendeu a tirar as almas de pessoas vivas e colocar a dele dentro.

— Tipo saltar de um corpo para outro? — perguntou Gwenda, franzindo o nariz.

— Exatamente. Agora imagine que ele só pula de um Makar para outro, porque não quer perder seus poderes do caos. Imagine esse cara, eu, expulsando do corpo a alma de vários Makars e se tornando diferentes Suseranos do Mal ao longo da história.

— Quantos? — perguntou Tamara.

Gwenda se levantou e foi na direção da porta. Call suspirou. Deveria ter esperado isso.

— Aonde você vai? — perguntou Jasper.

Call quis dizer para ele calar a boca, para não fazer Gwenda dizer qualquer coisa medonha que ela estivesse pensando, porque Call não precisava ouvir. Mas não fez isso porque não queria que Jasper também fosse embora. Especialmente não queria que Tamara fosse atrás deles.

Mas Gwenda voltou um instante depois com um grande livro chamado *Makars Através da História*.

— Certo — disse ela, com os olhos brilhando. — Você foi o Monstro de Morvonia?

— Acho que não — respondeu Call. — Esse nome não me lembra nada.

— Acho que é bom que você não tenha sido *todos* os magos malignos da história — observou Tamara.

— O Francelho Encapuzado? — perguntou Gwenda.

— Fui — respondeu ele. — Infelizmente.

Ela ergueu as sobrancelhas. Tamara se curvou para ver a página que Gwenda estava lendo.

— Eca — disse ela. — Diz aqui que ele usava o caos para revirar as entranhas das vítimas. Nojento. Tipo um batedor de ovos mágico.

— Será que dá para não falar assim? — pediu Jasper. — Eu estou comendo líquen.

— E Ludmilla de Praga? — perguntou Gwenda.

Call assentiu.

— Sem dúvidas essa daí eu fui.

— Ela mandou uma peste de besouros contra os homens de Praga quando um deles se divorciou de uma amiga dela — disse Gwenda, dando um risinho.

— Sem aprovar os Suseranos do Mal, ok? — disse Jasper, e se virou para Call. — Olha, a gente passou por um monte de coisas juntos. Tanto que posso dizer que realmente não me importo com que mago maligno você tenha sido na vida passada.

— Vidas — corrigiu Call, melancólico.

— São águas passadas — insistiu Jasper.

— Mas você *foi* Constantine Madden — disse Gwenda. — Certo?

— Fui, mas é complicado. Parece que esse mago maligno original, Maugris, encontrou Constantine *depois* que ele já havia se tornado o Inimigo da Morte. Maugris pulou no corpo dele e ninguém notou a diferença, provavelmente porque Constantine já era bastante mau. Mas isso explica por que Constantine não tentou trazer Jericho dos mortos depois disso e simplesmente o levou para um mausoléu. Maugris não se importava com Jericho.

Tamara estremeceu.

— Não imagino como é ter as lembranças de outra pessoa chegando todas ao mesmo tempo. Não é de espantar que você tenha ficado tão desorientado.

Nem me fale, disse Aaron.

Call assentiu. Muito deliberadamente, omitiu que, se sua alma havia começado em alguém chamado Maugris, aquelas lembranças não pertenciam a outra pessoa. Pertenciam a ele, ainda que ele desejasse que não fosse assim.

— Mas houve uma coisa — disse. — Eu... digo, Maugris... está por aí há muito, muito tempo. Então ele viu coisas. Tipo outro Devorado do Caos.

Por um momento todos ficaram em silêncio, olhando-o.

— Sério? — perguntou Gwenda. — Você não está só se confundindo? Maugris viu um Devorado do Caos?

Call assentiu.

— Você sabe como deter Alex? — perguntou Tamara, quase prendendo a respiração.

— Existe um modo — respondeu ele. — Maugris conseguiu tirar o caos do Devorado contra o qual lutou. Segundo as regras da alquimia, foram necessários quatro Devorados de quatro elementos diferentes para conseguir isso. Se pudermos arrancar o caos do corpo de Alex, poderemos lutar contra ele normalmente.

Eu gostaria de poder entrar nessa briga, disse Aaron. *Queria dar um soco na cara dele.*

— Então ele sobreviveria? — perguntou Tamara.

Sem saber se ela estava desapontada ou não, Call assentiu.

— Se ele tivesse sido Devorado por mais tempo, talvez não restasse muita coisa, mas acho que Alex será forte o suficiente para ser perigoso. Lembrem-se, ele ainda é um Makar.

— Então ele poderia fazer isso também — disse Jasper. — Poderia arrancar a alma de alguém. Poderia pular em outro corpo quando estivesse morrendo, como Maugris fez.

Call levou um susto.

— Mas ele não sabe que poderia fazer isso.

— Qual é, Call. Pense como um Suserano do Mal — insistiu Jasper. — Ele sabe o que Constantine Madden fez. Sabe como ele sobreviveu ao Massacre Gelado.

Tamara assentiu.

— Jasper tem razão. Precisaremos ter muito cuidado.

O início de uma ideia brotou na cabeça de Call.

— Ao menos temos um plano — disse Gwenda, pegando um refrigerante e tomando um longo gole. — Achei que nunca iríamos bolar um. Na verdade, isso é bem empolgante.

Jasper balançou a cabeça, como se sentisse falta da antiga Gwenda razoável.

↑≋△○@

Call achava que, depois de ter passado todo aquele tempo inconsciente e delirando, não conseguiria dormir, mas, por acaso, estava exausto depois de comer e falar. As visões não tinham sido nem um pouco tranquilas. Felizmente, nessa noite ele não se lembrou dos sonhos.

Quando a campainha tocou, ele se levantou, espreguiçou-se, fez um carinho em Devastação e foi para a sala compartilhada. Mestre Rufus o aguardava.

— Callum — disse Rufus. — Fico aliviado ao vê-lo de pé e em movimento. Estávamos todos preocupados com você, algo que acontece com bastante frequência atualmente. Desde a morte de Aaron você vem assumindo muitos riscos. Quantas vezes você usou suas forças além do normal? Quantas vezes fez magias que seriam perigosas mesmo que você tivesse um contrapeso, coisa que você não tem?

Call olhou para o chão.

— Escolha outro contrapeso, e logo. Não, essa pessoa não será o Aaron, mas vai manter você vivo.

Call continuou sem falar.

O Mestre Rufus suspirou profundamente.

— Não posso dizer a você que seja mais cuidadoso quando a Assembleia está mandando você atrás de Alex. Mas se isso tem a ver com culpa...

— Não tem — disse Call rapidamente.

O Mestre Rufus pôs a mão em seu ombro.

— A morte do Aaron nunca foi culpa sua.

Call assentiu, desconfortável.

Ele está certo, disse Aaron.

— Nada disso é culpa sua, Callum. Afirmar isso seria o mesmo que se culpar por ter nascido.

Mestre Rufus esperou um momento, como se esperasse que Call respondesse, mas ele não fez isso.

— Andei pensando — continuou o Mestre Rufus — na minha situação. Em como às vezes precisamos encarar coisas desconfortáveis.

— O senhor vai contar ao seu marido? — perguntou Callum. — Que é um mago?

O velho deu um sorriso pesaroso.

— Se conseguirmos sair dessa, vou.

Houve uma batida à porta. Mestre Rufus atendeu a visita: Alastair.

O pai de Call parecia abatido e pálido, como se tivesse passado alguns dias sem dormir. O cabelo estava desgrenhado.

— Call!

Alastair passou por seu antigo professor e abraçou o filho com força.

— Seu pai estava muito preocupado — disse o Mestre Rufus, quando Alastair parou de bater nas costas de Call e deu um passo atrás para olhá-lo. — Ele está no Magisterium desde que você caiu de cama.

— Pensei ter ouvido a sua voz — disse Call, lembrando-se das palavras do pai emboladas no meio da torrente de outras lembranças e visitas.

Alastair pigarreou.

— Rufus, será que posso ficar um tempo a sós com Call?

— Sem dúvida.

Educado como sempre, Rufus saiu.

Alastair e Call sentaram-se no sofá enquanto Devastação se aproximava para investigar. Depois de farejar a perna da calça de Alastair, ele se enrolou e dormiu sobre seu sapato.

— Certo, Call — disse Alastair. — Sei que você não pegou uma gripe, ok? O que aconteceu com você? Você estava gritando sobre queimar cidades e marchar à frente de exércitos. Isso tem alguma coisa a ver com o Inimigo?

Cuidado com o que você vai contar, Call, alertou Aaron. *Se ele pensar que você está em perigo, vai convencer o Magisterium inteiro disso.*

Call sabia que Aaron estava certo. Por isso contou uma versão resumida dos acontecimentos: que as lembranças de Constantine estavam presas dentro de sua cabeça, que ele as havia soltado quando achou que precisava salvar os amigos, que elas o dominaram até que ele assumiu o controle e as trancou de novo.

Alastair já estava meio fora do assento.

— Não gosto nem um pouco disso. Deveríamos falar com o Mestre Rufus. Certamente os magos podem fazer alguma coisa para garantir que essas informações permaneçam trancadas ou sejam removidas para sempre.

Não, alertou Aaron. *Se eles começarem a remexer aqui é impossível saber o que vai acontecer.*

— Calma — disse Call. — O que eles contaram a você? Falaram sobre Alex Strike?

— O garoto que voltou como Devorado do Caos? Sim, mas...

— Contaram que eles esperam que eu descubra um modo de derrotá-lo?

Alastair afundou de volta na poltrona.

— Você? Mas você é só um garoto.

— Sou o único Makar que eles têm. E ninguém sabe como derrotar um Devorado do Caos.

Alastair o olhou horrorizado.

— Meu carro está lá fora — disse em voz baixa. — Nós podemos fugir, Call. Você não precisa ficar aqui. Nós poderíamos desaparecer facilmente no mundo normal.

— Mas nesse caso acho que muita gente morreria.

— Mas *você viveria.*

Alastair o encarou com intensidade. Para Call foi bom saber que seu pai colocava a vida dele acima de todo o resto do mundo, mas a única coisa que tornaria Call diferente de Constantine ou de Maugris seria justamente não pensar assim.

De novo se lembrou do Cinquain, da frase que ele tinha acrescentado: *Call quer viver*. Tinha pensado nisso inúmeras vezes, sentindo vergonha. Agora a frase parecia penetrar no coração do desejo terrível que o havia levado a virar um monstro.

Certo, vários monstros diferentes.

Call, disse Aaron. *Todo mundo quer viver.*

E todo mundo merecia viver. Mesmo que Call tivesse que arriscar a própria vida para tanto.

— Realmente preciso tentar — disse ao pai. — E até tenho um plano. Ele só... eu preciso da ajuda de alguns Devorados. Conheço uma Devorada do fogo, mas preciso de mais três, um de cada elemento.

— E o que vai acontecer com eles? — perguntou Alastair.

Call balançou a cabeça.

— Eles vão des-Devorá-lo. Vão regurgitá-lo. Fazer com que Alex seja vomitado para fora do caos. E vão correr o mesmo risco que o resto de nós, lutando contra um Makar regurgitado e furioso de verdade.

Alastair piscou algumas vezes. Por fim, balançou a cabeça e disse:

— É, eu conheço um cara.

— Conhece?

— Em Niágara. Ele esteve na guerra. Foi Devorado lá. Ele pode ouvir, se nós apresentarmos o problema.

— Você pode pegar o carro?

— O quê? — perguntou Alastair. — Agora?

— Imediatamente.

Call se levantou e começou a bater à porta dos amigos para acordá-los.

CAPÍTULO DOZE

Uma hora depois o Phantom voava pela interestadual com a cabeça de Devastação para fora da janela, a língua rosada balançando ao vento. Call estava no banco do carona junto com o lobo. Tamara, Gwenda e Jasper ocupavam o banco de trás.

Já haviam parado para comer alguma coisa e acabaram com uma caixa de frango frito. Refrigerantes gelados estavam equilibrados nos colos.

— Ainda mais gostoso do que líquen — dissera Jasper em êxtase, mastigando uma coxa.

O rádio estava sintonizado numa estação de jazz. Call inclinou a cabeça para trás e começou a pensar no futuro. Assim que Alex fosse derrotado ele convidaria Tamara para sair, um encontro de verdade. Ela gostava de sushi, então iria levá-la a algum restaurante onde fariam uma bela refeição à base de peixe. Depois talvez fossem ao cinema ou passear, tomar sorvete. Começou a visualizar isso preguiçosamente quando percebeu que não estava sozinho na própria cabeça. Rapidamente tentou pensar em outra coisa.

Gostaria de comprar uma guia nova para Devastação. É, isso era bom.

E um novo corpo para mim, lembrou Aaron. *Se um dia quiser beijar Tamara de novo sem a minha presença.*

Call suspirou.

— Vocês todos são bons garotos, ajudando o Callum — disse Alastair, o que fez Call se sentir humilhado e também com uns sete anos de idade.

Tamara riu.

— Alguém precisa tentar convencê-lo a ficar fora de encrenca.

— Alguém deveria fazer isso — disse Jasper. — Uma pena esse alguém não ser você.

Gwenda lhe deu um soco no ombro.

— Por que você é assim?

— As pessoas me amam — respondeu Jasper.

— E como está Celia? — perguntou Gwenda, provocando uma carranca em Jasper. — Ainda com raiva por você ser amigo do Call?

— A gente vai se resolver — disse Jasper.

— Ouvi dizer que ela também não gostou do fato de seu pai ter sido preso por ter ajudado o inimigo. — Gwenda deu de ombros quando todos olharam para ela. — O quê? As pessoas falam, Jasper.

— A gente vai resolver — repetiu ele entredentes.

— Acho que não gosto dessa tal de Celia — observou Alastair.

— Ela foi me visitar quando eu estava doente — contou Call. — E pediu desculpas.

— Ela *foi*?

Tamara estava com os olhos arregalados.

Jasper pareceu aliviado.

— Eu disse.

Gwenda deu um risinho.

— Ela pediu desculpas ao Call. Talvez ela possa namorar com *ele*.

— Mas... — começou Tamara.

Jasper a encarou com olhos inocentes.

— Mas o quê?

— Nada.

Tamara cruzou os braços e olhou pela janela. Estava escurecendo e a estrada estava praticamente deserta. O GPS indicava que estavam na Pensilvânia, perto da Floresta Nacional Allegheny. Árvores altas e pontudas ladeavam a estrada.

Alastair lançou um olhar de lado, divertido, para Call, mas não falou nada, e a conversa rumou para outros assuntos. Call permaneceu em silêncio, pensando no que havia pela frente.

Depois de mais meia hora, Alastair saiu da estrada e entrou no estacionamento de um hotel que tinha uma lanchonete ao lado. O anúncio em néon prometia torta de cereja e sanduíche de filé com queijo. Call e os outros entraram atrás de Alastair, que alugou quartos separados para todos e disse para se encontrarem do lado de fora em quarenta e cinco minutos para jantar.

Call estava vestindo uma camisa limpa e se esforçando ao máximo para ajeitar o cabelo revolto, usando água, quando bateram à porta.

Era Jasper, usando uma camiseta onde se lia UNICÓRNIOS RAIVOSOS TAMBÉM PRECISAM DE AMOR. Call piscou.

— O que foi?

Jasper entrou e se sentou na cama. Call deu um suspiro. Não se lembrava de Jasper jamais ter esperado para ser convidado a entrar em lugar algum.

— Isso tem a ver com Celia? — perguntou Call.

— Não — respondeu Jasper depois de uma pausa. — Tem a ver com o meu pai.

— Seu pai?

O pai dele ainda está no Panopticon com todos os outros que se juntaram ao Mestre Joseph, disse Aaron, solícito.

Eu sei!, reagiu Call. *Só não sei por que ele quer falar sobre isso comigo.*

Talvez ele ache que você é um cara compreensivo.

Jasper continuou:

— Um membro da Assembleia me disse que estão pensando em condenar à morte todos os magos que se juntaram com o Mestre Joseph.

Call ficou boquiaberto.

— Eu...

Jasper balançou a mão, impaciente.

— Não precisa dizer nada. Mas nós estamos indo nessa grande missão para ajudar o Magisterium. E se tivermos sucesso você vai ser um herói. — Ele cruzou os braços. — Se isso acontecer, queria que você intercedesse junto à Assembleia porque eles vão fazer o que você quiser. Diga para soltarem meu pai.

Por um momento Call teve outra vez aquela sensação estranha em que o mundo se inclinava de lado, mas não porque as lembranças de um mago maligno estavam se embolando com as suas. Mas porque esse não deveria ser o seu papel.

Ele não era herói. Jasper não deveria pedir favores nem agir como se ele fosse importante.

Aaron era o herói. Deveria ser Aaron.

Ei, disse a voz na sua cabeça. *Acho bom que não seja eu. Na época eu também achava bom que não fosse eu, mas não existia mais ninguém. E agora não existe ninguém além de você.*

Call assentiu.

— Se nós realizarmos com sucesso essa missão, você também vai ser herói. Você mesmo poderia pedir a eles.

A expressão de Jasper era de dúvida.

— Só diga que você faria isso. Você é o Makar.

— Não posso dizer para soltarem o seu pai, Jasper, mas posso insistir que não deem a ele a pena de morte, independentemente do resultado do julgamento. E posso insistir para que ele tenha um julgamento justo.

Por um momento, Jasper ficou em silêncio. Então deu um longo suspiro.

— Promete?

— Prometo. Quer cuspir na mão e depois apertar, para selar o trato?

Jasper fez uma careta.

— Não. Confio em você. Além do mais, isso é nojento.

Call riu, feliz por Jasper agir de modo normal com ele. Foram juntos para a lanchonete ao lado do hotel. Alastair já estava lá com Gwenda e Tamara, ocupando um reservado. Até já haviam pedido bebidas: Alastair estava tomando café e as meninas milk-shakes.

A luz amarelada do teto piscava, o linóleo era gasto e rachado, mas atrás do vidro havia tortas perfeitas, brilhantes, além de bolos altos com cobertura de cereja e flocos de coco. Call ficou com a boca cheia d'água.

Jasper se sentou ao lado de Gwenda e Tamara, deixando Call para ficar junto de Alastair. Tamara sorriu para Call enquanto ele deslizava no banco para ficar diante dela.

A garçonete voltou e anotou os pedidos. Jasper escolheu um refrigerante de laranja e um enorme hambúrguer com bacon. Tamara quis um sanduíche de atum. Gwenda pediu um de carne assada no pão árabe. Alastair escolheu bife com ovos. Call pediu um sanduíche de pernil, batata frita e uma panqueca com pedaços de chocolate. Depois pediu mais dois hambúrgueres para viagem, malpassados, para Devastação.

— Tenho notícias — disse Alastair. — Falei com o Mestre Rufus pelo telefone de tornado. A torre de Alex está ficando pronta. Eles acham que podem embromá-lo, mas só por mais uns três dias. O Mestre Rufus disse que precisamos concluir a missão nesse tempo.

— *Mais três dias?* — guinchou Call. — Como vamos encontrar três Devorados tão depressa?

— Vamos nos concentrar na tarefa mais próxima — respondeu Alastair. — Vamos convencer Lucas, e talvez ele possa indicar outros Devorados.

— Mas e se ele não puder? — perguntou Call, o que evidentemente não era a coisa mais heroica a ser dita.

— Você acha mesmo que esse plano vai funcionar? — perguntou Alastair.

Call assentiu.

— Então vamos dar um jeito — garantiu seu pai.

A comida chegou e, apesar da aparência deliciosa, Call não sentiu o gosto.

Naquela noite ficou se revirando na cama, dormindo em períodos curtos. Devastação lambeu seu rosto para não restar dúvidas de que estava ali, com ele. Isso ajudou, mas mesmo assim Call ficou acordando toda hora, e despertou completamente quando viu pela janela o alvorecer surgindo lá fora.

Era hora de ir para as Cataratas do Niágara.

↑≋△○@

Algumas horas depois, segurando um enorme copo de café, Call entrou no Rolls-Royce de Alastair. Hoje havia menos bate-papo no carro e mais tensão. Todos pareciam estressados, e quando pararam para almoçar num McDonald's, até Jasper parecia abalado, porque só conseguiu comer cinco hambúrgueres e um saco de batata frita.

Depois de algumas horas, todo mundo no carro havia cochilado, menos Devastação, Call e, obviamente, Alastair.

— Desculpe — disse Alastair, olhando pelo retrovisor para se certificar de que os outros estavam dormindo. — Eu nunca deveria ter sugerido que a gente fugisse, lá no Magisterium.

Call levou um susto.

— Você estava certo — disse Call. — No início. Eu nunca deveria ter ido para o Magisterium.

Alastair balançou a cabeça.

— Não, o Mestre Joseph acabaria nos encontrando. Eu estava sendo covarde, estava errado. Você não saberia como se proteger dele. Poderia ter morrido junto com todas as pessoas que você salvou.

Call ficou em silêncio. Pensava em si mesmo como alguém que lutava tão frequentemente contra o mal que jamais parava para pensar em qualquer bem que podia ter feito.

A estrada continuava. Depois de um tempo, Call cochilou. Foi acordado num posto de gasolina pelo cheiro de café e bolinhos de canela aquecidos no micro-ondas. Tomou um pouco de café, espreguiçou-se, foi ao banheiro e decidiu não lavar o rosto com a água ligeiramente marrom que saía da torneira.

De volta ao carro, tomou mais café e comeu três bolinhos de canela açucarados. Quando chegaram ao estacionamento do Parque Estadual das Cataratas do Niágara, Call já se sentia pronto para se levantar de seu banco, como um beija-flor que acabou de se entupir de açúcar.

Encontraram um lugar para estacionar e continuaram a pé, ignorando o aquário e as outras atrações turísticas e indo direto para o centro de visitantes. Ali ficaram sabendo que poderiam ir à torre de observação e, de lá, se quisessem, pegar um elevador e descer até a base das Cataratas do Niágara para um passeio de barco. Havia um lugar chamado "ninho do corvo", onde certamente ficariam com o rosto molhado pelos borrifos de água.

Call imaginou que o elevador seria feito de vidro, mas era de metal comum. Quando chegaram embaixo, a porta se abriu para uma torrente de barulho. Saíram rapidamente para o deque. Turistas andavam pelos deques de madeira, vestidos com capas amarelas brilhantes. Os deques eram ligados por passarelas também de madeira que subiam e desciam.

As cataratas jorravam tão perto que Call ficou pasmo, apesar de não estarem ali para fazer turismo. Quando a água batia nas pedras do fundo, explodia em névoa branca, depois escorria em torrentes pelos pedregulhos, passando pelas quedas e se afastando a uma velocidade incrível.

— Atrás de mim — disse Alastair em voz baixa.

Desceram por várias passarelas, espremendo-se entre turistas encapuzados. Todos estavam se molhando no aguaceiro e a perna de Call começou a doer. Alastair foi até a beirada de um deque e os chamou para perto, depois pulou com agilidade por cima do parapeito. Ajudou Call a pular em seguida — era uma queda pequena. E os outros, até Devastação, pousaram rapidamente ao lado deles.

Pousaram num caminho estreito que seguia perto da água. Alguma coisa sugeriu a Call que aquele era um caminho mágico, invisível para os olhos normais. Talvez o fato de que não havia mais ninguém ali além deles. Talvez o fato de que as únicas pegadas na terra não fossem pegadas, e sim marcas que pareciam ter a forma do símbolo do elemento da água.

O sol havia nascido e os secou enquanto prosseguiam, com o ruído do rio abafando qualquer conversa que não fosse aos gritos. Alastair parou num trecho onde o caminho se projetava para a água num pequeno promontório. Pôs as mãos em concha em volta da boca.

— Lucas! — gritou. — Lucas, está me ouvindo?

Tamara ficou sem ar.

— Olhem! — gritou. — Ali. Tem uma criança se afogando.

E apontou.

Um menino com capa impermeável amarela havia escorregado, mesmo com todas as precauções e os parapeitos. Estava sendo carregado, girando como uma folha, pela torrente que espumava sobre as pedras. Por um momento desapareceu e voltou à superfície. Call não sabia se ele estava consciente ou não, não sabia com que força ele havia batido nas pedras.

— Precisamos fazer alguma coisa — disse Tamara, correndo para a beirada d'água.

— Tentem pegá-lo. Jasper e eu vamos nos concentrar em acalmar a água. Gwenda, garanta que ninguém note — gritou Call.

Jasper assentiu. Gwenda franziu o rosto, concentrando-se. Ela intensificou a névoa dos borrifos d'água, escondendo todos eles. Então intensificou dois arco-íris, de modo que ficassem lindos a ponto de distrair os espectadores. Talvez isso não bastasse para impedir que a família do menino notasse o que estava acontecendo, mas talvez para que mais ninguém estivesse olhando.

Call nunca tinha sido particularmente bom com magia da água, mas mesmo assim começou a usá-la, tentando controlar o fluxo das corredeiras e abrir um caminho para Tamara. Viu que Jasper se concentrava em diminuir a velocidade da água perto do garoto, que começou a subir lentamente no ar e veio flutuando na direção deles.

O garoto abriu os olhos, mas, quando fez isso, Call viu que ele tinha os olhos cheios de água. A magia de Tamara o trouxe mais para perto, mas quanto mais próximo ele chegava, menos se parecia com um menino. A pele ondulou e ficou translúcida, como se ele não fosse feito de carne. Então se desfez numa poça, e a criança desapareceu, só restou uma capa amarela.

— *Mas o quê...* — disse Jasper.

Um gêiser saltou da água, e dele saiu uma forma parecida com um homem.

— Vocês passaram no meu teste — disse ele numa voz gorgolejante. — Agora o que desejam?

— Você me reconhece, não é, Lucas? — perguntou Alastair.

— Alastair Hunt. — O homem era translúcido, mas a água formava uma imagem nítida de suas feições, até os esboços de um cabelo encaracolado. — Faz muito tempo.

— Estes são o meu filho e os amigos dele. Precisamos de um favor.

— Um favor?

— Precisamos da sua ajuda. Há um Devorado do Caos que veio para ocupar o lugar de Constantine Madden, lutando contra o mundo dos magos.

— E o que eu posso fazer? — perguntou Lucas.

— Junto com outros três Devorados, um de cada de elemento, você poderia arrancar o caos dele — respondeu Call. — Ele voltaria a ser apenas um mago e aí nós poderíamos enfrentá-lo. Meu pai disse que você lutou na guerra. Alex é o último dos subordinados de Constantine que tem algum poder. Assim que ele estiver derrotado, a guerra finalmente chegará ao fim.

— Isso foi quando eu era humano — disse o Devorado. — Agora não sou mais.

— Você poderia viver em qualquer lugar — observou Tamara. — Mas escolheu este aqui.

— Gosto de Niágara. Gosto do poder da cachoeira, do movimento da água.

— E das pessoas — disse Tamara. — Você poderia estar no mar, longe de qualquer um. Poderia estar num dos grandes rios. Poderia até escolher uma cachoeira distante. Mas não, escolheu um lugar onde sempre haverá seres humanos por perto. E você nos testou mostrando uma criança humana em perigo. Acho que, independentemente do que você seja, você ainda se importa com as pessoas.

— Talvez. — Lucas girou lentamente na água. Gwenda e Jasper olhavam maravilhados. — Acho que não gosto da ideia de a humanidade ser varrida do mapa. Vou ajudar vocês.

Os ombros de Call se afrouxaram com alívio.

— Ótimo. Você conhece mais algum Devorado? De outros elementos?

Lucas franziu a testa.

— Esse não parece um plano muito bem pensado.

— Nós já temos Ravan, Devorada do fogo — disse Tamara rapidamente. — Só precisamos de um Devorado da terra e um do ar.

Lucas fez um som pensativo, como de água caindo.

— Talvez Greta — disse. — Na última vez em que ouvi falar, ela estava morando num sumidouro perto de Tampa.

— Greta Kuzminski? — perguntou Alastair. — Ela virou Devorada da terra? Por gostar de terra ou porque odeia pessoas?

— Acima de tudo ela odeia pessoas — respondeu Lucas. — Foi traída pela Assembleia. Eles estavam dispostos a dizer qualquer coisa para atraí-la para a guerra contra Constantine, mas depois da trégua renegaram todas as promessas que fizeram. Vou dizer exatamente onde talvez possam encontrá-la, mas é provável que seja mais difícil convencê-la do que foi a mim.

— Fantástico — murmurou Gwenda. — Eu sabia que isso estava fácil demais.

— Você não conhece *nenhum outro* Devorado da terra? — perguntou Jasper. — Alguém mais amigável?

— Não. — Fiel à sua palavra, Lucas lhes deu orientações detalhadas, que Call tentou memorizar. — Boa sorte. Quando tiverem reunido tudo de que precisam, toquem na água e chamem meu nome. Vou ser convocado à presença de vocês.

Com isso ele se dissolveu na água, transformando-se em espuma e névoa.

↑≈△○@

Quando todos estavam de volta ao carro de Alastair, Tamara desfazia suas tranças e Call sentiu como se sua roupa encharcada pesasse cinquenta quilos. Depois de olhar em volta para garantir que não havia ninguém espiando, Tamara invocou fogo mágico suficiente para criar uma fogueira miniatura em que todos puderam se esquentar. (A não ser Devastação, que só ficou saltando e sacudindo a água do pelo.)

— E então, quem é Greta? — perguntou Call a Alastair. — Uma antiga namorada ou algo assim?

— Só uma colega de escola mal-humorada. Acho que algumas coisas não mudam. — Estendendo as mãos para a fogueira, Alastair pareceu distraído. — É uma pena que ela esteja lá em Tampa. É uma viagem longa para vocês.

— Uma viagem longa para *nós*, você quis dizer? — perguntou Call, surpreso.

Alastair balançou a cabeça.

— Acho que tenho uma pista para um Devorado do ar, mas dá para irmos juntos se quisermos voltar ao Magisterium a tempo. Só se certifiquem de convencer Greta, e eu encontro vocês lá.

— Você quer que eu leve o carro? — perguntou Call.

O Phantom de Alastair era seu pertence mais amado; ele cuidava daquele carro todo final de semana, polindo e fazendo reparos. Call não conseguia acreditar que Alastair deixaria o carro com ele.

— Só tome cuidado com ela, ok? — disse Alastair, que se referia ao carro no feminino.

Ele pegou a carteira, tirou de dentro um punhado de notas de vinte dólares e enfiou a mão no bolso para pegar as chaves.

— Você é um bom motorista e um bom garoto. Vai ficar tudo bem.

Call olhou as chaves e o dinheiro nas mãos. Pensou em sugerir que fossem voando, mas sabia que sua própria magia só iria levá-los até certo ponto. E não tinham tempo para encontrar um elemental que os carregasse.

— O que você vai fazer?

— Tenho um amigo que pode me dar uma carona. Não se preocupe. Estarei no Magisterium com um Devorado do ar quando vocês chegarem. — Alastair deu um tapinha nas costas de Call. Depois, mudando de ideia, puxou-o para um abraço apertado e rápido. — Isso já vai acabar.

Depois de soltá-lo, Alastair acenou para os outros garotos. Assobiando, atravessou o estacionamento em direção à estrada.

— Você acha que ele pode mesmo convencer um Devorado do ar? — perguntou Gwenda.

— É melhor acreditarmos que sim.

Call sentou atrás do volante do Rolls-Royce. A última vez em que estivera naquele banco ele era um garotinho, fingindo dirigir, fazendo *vrum, vrum* com a boca.

Tamara ocupou o banco do carona, deixando Gwenda com Devastação e Jasper atrás.

Call girou a chave e apertou o acelerador, dando partida.

Lembre-se de quando eu precisava dirigir porque você não sabia, disse Aaron.

Ainda não tenho certeza se sei, pensou Call de volta.

Tamara mexeu no rádio enquanto Call levava o carro cuidadosamente para fora do estacionamento, até a estrada.

— Você tem carteira, não tem? — perguntou Gwenda.

— Provisória — respondeu ele.

— Como assim? — quis saber ela, parecendo preocupada.

— É uma carteira provisória. Não tenho muita experiência, já que fiquei preso, fui sequestrado, quase morri e depois fiquei morando numa caverna.

Isso não pareceu acalmar Gwenda, mas Jasper parecia despreocupado. Fez um carinho em Devastação e olhou pela janela.

— Gosto de viajar de carro — disse ele, olhando a paisagem. — E de jogos de viagem de carro. A gente deveria jogar um.

Gwenda lhe deu um soco no ombro.

— Ai! — gritou ele.

— Fusca Azul. — Ela sorriu. — O que foi? Achei que você gostava de jogos de viagem de carro.

Ele estendeu a mão e fez cócegas embaixo dos braços dela, provocando ataques de riso enquanto ela tentava se afastar. Devastação latiu e tentou se ajeitar no banco.

— Gwenda é fantástica — disse Call a Tamara, olhando para eles pelo retrovisor. — Finalmente encontrei alguém que gosta do Jasper menos do que eu.

Tamara revirou os olhos, dando a entender que ele não estava apenas errado, mas que possivelmente também era um idiota. Como Call não tinha ideia do que tinha dito de tão idiota e não queria admitir, ficou de olho na estrada.

Talvez ela estivesse com ciúme. Talvez não quisesse ouvi-lo elogiar outra garota. Mas Tamara não parecia particularmente desconfortável. Estava encostada na janela, o cabelo preso numa trança grudada no couro cabeludo, olhando os carros passando com um sorrisinho no rosto.

Algumas horas depois ninguém mais sorria. Estavam todos entediados, inquietos e com fome. A estrada os levou de volta por onde tinham vindo, atravessando de novo a Pensilvânia, depois passando pela Virgínia Ocidental, a Virgínia, as Carolinas do Norte e do Sul e, finalmente, pela Geórgia, até chegar à Flórida. Demorariam quase um dia inteiro — dezoito horas — para chegar a Tampa. Call achou que poderiam dividir o tempo em dois longos dias de viagem, com outro hotel no meio-tempo.

Acabou parando no estacionamento de um Taco Bell. O carro estremeceu ligeiramente ao ser desligado, coisa que deixou Call nervoso. Esperava não ter de consertar sozinho um carro notoriamente tão cheio de frescuras.

— Minha bunda está dormente — disse Tamara, descendo. — Vamos pegar alguma coisa para viagem e encontrar um lugar para dormir.

Todos estavam morrendo de fome e voltaram para o carro carregados com refrigerantes e tacos. Jasper tentou usar o celular para arranjar um hotel e houve muitos gritos durante o processo, tendo em vista que Call seguiu na direção errada e precisou pegar retornos. Até que chegaram ao Red Roof Inn e Jasper usou o cartão de crédito do pai para pegar três quartos, os únicos disponíveis.

— Tamara e Gwenda podem ficar juntas — anunciou ele. — E Call e eu podemos ficar cada um com um quarto.

Houve um coro de descontentamento, mas Jasper observou que era o pai dele quem tinha arcado com a hospedagem, por isso ia ficar com um, e se uma das garotas quisesse dormir com Call, tudo bem. No fim, terminaram comendo tacos e nachos no pátio do hotel enquanto o sol se punha à distância.

Naquela noite, Call ficou por um longo tempo tentando dormir. Tudo parecia um peso em seus ombros. Era difícil se concentrar sabendo que era ele o motivo de estarem todos ali, o motivo para terem de lutar contra Alex, o motivo para praticamente tudo de ruim que já havia acontecido no mundo.

O que era só um pouquinho de exagero.

Isso não é verdade, disse Aaron.

Houve uma batida à porta. Call se arrastou para fora da cama, imaginando se Jasper tinha vindo pedir outro favor. Mas não era Jasper. Era Tamara.

— Posso entrar? — perguntou ela, nervosa.

Estava vestida de pijama e pantufas. A cor de pêssego do pijama fazia sua pele brilhar.

— Eu... ah... — disse Call.

Ah, só diga sim, reagiu Aaron, irritado.

— Sim, lógico.

Call ficou de lado para deixar Tamara passar. Sentiu-se feliz por estar usando seu moletom menos puído e uma camiseta limpa. E por ter tomado uns cinco banhos por ainda se sentir imundo das águas do Niágara.

Tamara entrou e se sentou na beirada da cama. Na verdade, tão na beirada que parecia a ponto de despencar.

— Call — disse ela, mexendo no cordão pendurado no pescoço. — Olha, eu queria falar com você sobre...

— Quer namorar comigo? — reagiu Call bruscamente.

Ah, não, agora não, gemeu Aaron.

— Cala a boca — exclamou Call.

Tamara levantou as sobrancelhas.

— Sei que você está falando com o Aaron — disse ela. — Talvez fosse melhor esperar para ter essa conversa quando a gente estiver a sós.

Ah, vá em frente, murmurou Aaron. *Não tenho mais nada para fazer.*

— Aaron disse que não tem mais nada para fazer.

— Não sei bem se isso é romântico — observou Tamara.

— Mas a questão é essa — disse Call. — Você me conhece desde o início e sempre enxerga o melhor em mim. Embora eu já tenha sido dezessete magos malignos diferentes.

Dezoito — corrigiu Aaron. *Mas quem está contando?*

— Você sabe a verdade a meu respeito. Toda ela. Tudo que ninguém sabe, a não ser o Aaron. E mesmo assim você sempre... bem, talvez não a princípio... sempre acreditou em mim. Você me inspira a querer fazer coisas boas, Tamara. Você faz com que eu queira salvar as pessoas só para deixar você feliz.

— Mas não porque você gostaria de salvá-las?

Call sentiu que talvez seu discurso tivesse soado meio estranho.

— Mais ou menos. Às vezes. Em outras vezes eu gostaria que outra pessoa fizesse isso.

— É justo — disse ela, e sorriu. — Continue.

— Bem, eu quero namorar com você. Sei que eu trouxe um monte de coisas esquisitas para a sua vida e nesse momento estou possuído pelo nosso melhor amigo, isso sem mencionar todo o lance do Inimigo da Morte, então eu entendo que talvez você esteja de saco cheio de mim. Mas, caso não esteja, caso esteja se perguntando como eu me sinto, saiba que eu quero namorar com você.

O sorriso de Tamara hesitou um pouco.

— Call, eu gosto de você de verdade.

Epa, exclamou Aaron, o que não melhorou o ânimo de Call.

— Tudo bem — disse Call, interrompendo-a, porque já sabia a resposta. — Não precisa falar nada agora. Só pense a respeito. Você pode me dizer depois que a gente der um jeito no Alex.

Ela ficou quieta por um tempo longo e angustiante, depois soltou o ar dos pulmões de uma vez só.

— Tem certeza de que quer esperar?

Call assentiu e deu um bocejo falso.

— Acho que seria bom se a gente dormisse um pouco.

Tamara se inclinou e lhe deu um beijo no rosto, o que deixou Call ao mesmo tempo quente e confuso. Quando Tamara saiu, ele sentiu uma pontada de arrependimento. Talvez devesse chamá-la de volta e ouvir a coisa horrível que ela queria dizer.

Mas não fez isso.

E também não dormiu muito.

CAPÍTULO TREZE

A Flórida estava quente e pegajosa. O carro não tinha ar-condicionado, por isso mantiveram as janelas abaixadas e se abanaram bastante. Passaram por Tallahassee até um trecho de pantanal perto do rio Sopchoppy, onde Lucas disse que Greta morava.

Call virou para a estrada, seguindo a orientação do GPS do celular de Jasper, embora estivesse muito nervoso. Era uma estrada de terra, cheia de calombos e totalmente inadequada para um carro antigo e elegante.

A estrada seguia ao longo do rio, cuja água cor de café corria suave. Por toda volta havia ciprestes cheios de musgo. As raízes se estendiam para a água como dedos. Uma cobra — Call achou que talvez fosse uma serpente-mocassim-cabeça-de-cobre — nadou tranquilamente por um aglomerado de flores, passando por algo que Call achou que podia ser o focinho de um jacaré.

A estrada estava se transformando rapidamente em lama e o caminho ia ficando menos nítido.

— Tem certeza de que é por aqui? — perguntou Call.

— Quem sabe? — disse Jasper. — O GPS está indicando para a gente virar de novo, mas não tem outra curva.

O Rolls diminuiu a velocidade, em parte porque Call tinha apertado o freio e em parte porque a lama estava ficando mais densa. Call teve a sensação desconfortável de que o carro afundava um pouco na gosma.

— A gente deveria sair — sugeriu Tamara. — Agora.

— A gente não pode ficar atolado aqui — disse Call. — Meu pai vai me matar se eu não levar o carro dele de volta.

— Ao menos sabemos onde estamos? — perguntou Gwenda.

— Meu celular sabe — respondeu Jasper. — Mas talvez seja melhor irmos a pé a partir daqui.

Todos saíram do Rolls e escorregaram na lama. O carro pareceu afundar um pouco mais quando se afastaram.

— Isso é areia movediça? — perguntou Tamara.

— Putz! — disse Call, segurando a cabeça. — Achei que areia movediça só existia em filmes. Filmes ruins. Não achei que fosse de verdade.

— A gente pode tirá-lo com magia — lembrou Gwenda. Os pneus tinham desaparecido quase completamente. — Pessoal, concentrem-se.

Gwenda, Jasper e Call invocaram a magia do ar enquanto Tamara invocava a da terra. Call se concentrou no vento, empurrando o carro para cima, formando um lençol quase sólido entre a lama e o metal. Com um som nojento de sucção, o carro emergiu do pântano, foi empurrado alguns metros de volta ao que restava da estrada de terra e depois, sem cerimônia, *caiu* enquanto eles cessavam a magia.

O estalo e o rangido de metal que soaram quando o Rolls bateu no chão fez Call se encolher. Será que ele ainda funcionaria? Quantos amassados eles tinham acabado de provocar no chassi?

Não havia tempo para se preocupar com isso.

— Por aqui — disse Jasper, levantando o celular.

Os outros o acompanharam pela trilha ao lado do rio Sopchoppy, ouvindo o zumbido de insetos, os sapos coaxando e o trinar constante dos pássaros no alto.

Um calor úmido pesava nas costas e mosquitos vinham em nuvens, com seu chiado agudo. Call pensou, com crueldade, que talvez Lucas os tivesse enganado de propósito. Talvez não existisse nenhuma Greta.

Jasper parou. Sacudiu o celular.

— Qual é o problema? — perguntou Tamara.

Ele o sacudiu de novo.

— Sem sinal.

— Você só pode estar brincando — disse Gwenda. — E agora? A gente está perto? Tem alguma ideia de para onde a gente precisa ir?

— Para ali — respondeu Jasper, acenando vagamente por cima da água, em direção a um agrupamento de árvores.

— Greta! — gritou Call, fazendo alguns pássaros voarem dos galhos próximos. Pelo menos um deles, de modo assustador, era um urubu. — Desculpe incomodarmos você, mas Lucas disse que talvez você pudesse nos ajudar!

Não houve resposta. Call sentia-se derrotado, como se tivesse despontado a todos. Se bem que, na verdade, Jasper é que tinha feito bobagem com o celular. Call abriu a boca para fazer essa observação.

Não, disse Aaron. *Não temos tempo para culpar uns aos outros. Além disso, aposto que ele já está se sentindo mal.*

Call franziu a testa e olhou para Jasper, que ainda balançava o aparelho. Ele parecia bem. Mas Call supôs que Aaron estivesse certo.

Nesse momento houve uma ondulação na superfície do rio. Todos pararam junto a uma curva. A água era de um marrom acinzentado e lamacento. Ciprestes altos margeavam o leito do rio.

— Talvez seja um jacaré — disse Gwenda, nervosa. — Às vezes eles sobem na margem e comem pessoas.

— Por que você sabe tanto sobre jacarés? — perguntou Jasper.

— Porque eu odeio eles! São como dinossauros com dentes enormes e... o que é *aquilo*?

As ondulações na água viraram um redemoinho, girando em volta dos ciprestes. De repente houve outro barulho de sucção, como um vulcão cuja erupção fosse de fora para dentro. As árvores começaram a afundar na água.

— É um sumidouro — disse Tamara. — Já assisti a vídeos que mostram isso. Para trás!

Todos recuaram, olhando pasmos enquanto as árvores e a terra na margem do rio eram arrastadas para o sumidouro que se abria com um ruído alto, nauseante. As árvores eram esmagadas e se despedaçavam, seus galhos estalando enquanto eram arrastados para baixo da superfície. A água borbulhava, e dela emergiu uma coisa enorme.

Um gigante feito inteiramente de terra e lama. A boca de Call se abriu enquanto a criatura se erguia acima deles, deixando cair peixes que se sacudiam e minhocas enormes. Um fedor de lixo podre dominou o pântano enquanto o gigante abria dois enormes olhos marrons, cor de lama.

— Ela está tentando assustar a gente — sussurrou Tamara enquanto os outros recuavam engasgando. — Lucas disse que ela odeia pessoas.

— Está dando certo — disse Jasper, enxugando os olhos lacrimejantes. — Estou apavorado.

— Vão embora, magos.

A voz de Greta rolava e trovejava. Mais lama caiu no pântano.

Call pigarreou.

— É um prazer conhecê-la — gritou. — A... é... a lama e as minhocas são muito legais, parecem muito... é... poderosas.

Greta estendeu a mão e partiu uma árvore ao meio.

— Isso vai acontecer com a sua coluna — murmurou Jasper.

Elogios não vão funcionar, disse Aaron. *Mas aposto que ela não curte muito a Assembleia.*

— Olha — disse Call. — Sentimos muito por incomodar você, mas não temos alternativa. Precisamos da sua ajuda.

Greta piscou, fazendo a lama cascatear para dentro d'água.

— Por que os ajudaria?

— Sabemos que o Magisterium abandonou você durante a guerra — disse Call. — Deixou você virar uma Devorada e depois expulsou você.

Greta assentiu.

— Existe um Devorado do Caos — continuou Call. — O nome dele é Alex. O Magisterium está construindo uma enorme torre de ouro para ele, e dentro de alguns dias todos vamos ser entregues a ele, para que ele possa nos matar.

— Não é verdade — sussurrou Tamara. Depois de uma pausa, ela acrescentou: — De fato acho que é tecnicamente verdade.

— Por que eu deveria me importar? — perguntou Greta, falando de um jeito mais pensativo. — O que os magos já fizeram por mim?

— Outros dois Devorados vão nos ajudar — disse Gwenda. — Ravan, do fogo, e Lucas, da água.

— A Assembleia teria de reconhecer o que você fez — acrescentou Call. — Os membros sentiriam vergonha do modo como trataram você.

Greta fez um ruído grave, como um trovão. Call percebeu que o fedor terrível sumira e que Greta estava ligeiramente diferente — não deixava mais cair minhocas e peixes. Em vez disso cresciam flores pelas cristas de seu corpo rochoso, junto com cogumelos multicoloridos.

— A Assembleia deve admitir a própria vergonha — disse Greta. — Nós somos Devorados, e não elementais. Somos magos. Não deveríamos ser aprisionados nem tratados como monstros.

— Esta seria uma oportunidade de mostrar exatamente isso. E vocês também podem salvar pessoas — observou Call. — Se Alex não for impedido, não há como dizer o que ele pode destruir. Ele poderia devastar o mundo inteiro, e isso afetaria você e os outros Devorados também.

Greta ribombou pensativamente

— O Devorado do Caos gosta de sapos?

Todos ficaram em silêncio. Seria melhor ou pior se ele gostasse?

Acho que você deveria dizer que não, disse Aaron. *Na verdade Alex não gosta de nada.*

— Ele provavelmente quer que sejam destruídos — respondeu Call.

— Então ele precisa ser impedido — disse Greta. — Eu gosto de sapos. São meus amigos.

— Diga como podemos invocar você — pediu Call. — Prometo que só faremos isso quando todos os Devorados estiverem reunidos e for chegada a hora de lutar contra Alex.

Alguma coisa saiu do chão entre os pés de Call. Um pedaço de quartzo reluzente, parecendo um geodo.

— Quebre isso numa pedra — respondeu Greta — e eu irei até onde estiverem.

Ela bateu preguiçosamente em alguma coisa na água: era um jacaré com a cabeça verde e cheia de dentes se projetando brevemente da superfície.

— Espero ver a vergonha estampada na face de todos os magos.

Enquanto ela afundava de novo na água, Jasper soltou o fôlego.

— Espero que isso tenha sido boa ideia.

— Nós não morremos — disse Gwenda. — Isso deve significar alguma coisa.

Voltaram ao carro sem ser atacados por jacarés, sapos ou passar por um buraco enorme se abrindo embaixo deles. O carro não tinha sido sugado para outro sumidouro. Melhor ainda, quando Call virou a chave, ele ligou com um tremor. O som não parecia o mesmo de quando Alastair o deixou pegá-lo, mas o veículo se moveu suficientemente bem para permitir que percorressem a estrada de terra.

Assim que chegaram à via expressa, um gemido agudo no carro — algo que Call achou que poderia ser a ventoinha — ficou mais nítido. Ele continuou dirigindo, lançando um pouco de magia de resfriamento no motor, para o caso de estar certo.

Seguiram para o norte, enlameados, cheios de picadas de mosquito e exaustos. Pararam para comprar mais comida em uma lanchonete na fronteira da Virgínia e chegaram às cavernas do Magisterium à noite.

A torre de ouro se erguia no céu. Ao luar, já parecia terminada.

Tinham mais um dia. Vinte e quatro horas antes de enfrentar Alex de novo.

Call parou o carro de Alastair no canto de uma clareira perto do portão da frente. Em seguida entrou com Devastação e os outros aprendizes, todos cansados demais até para falar. Call planejava tomar um banho, mas assim que chegaram aos aposentos caiu no sono, a lama ainda grudada nos jeans.

CAPÍTULO QUATORZE

Quando acordou, Call tomou banho e, nervoso, foi ao Refeitório para o café da manhã. Tamara, Jasper e Gwenda foram com ele.

— Achei que seu pai vinha encontrar com a gente aqui — disse Jasper.

— Tenho certeza de que ele vem.

Call tentou colocar fé na resposta. Talvez Alastair já estivesse ali. Eles tinham entrado tarde da noite; talvez ele estivesse em outra parte da escola, só isso.

Call encheu seu prato com cogumelos e líquen, mas depois de se sentar não teve certeza se conseguiria comer. Estava preocupado em enfrentar Alex, preocupado em dar o que havia prometido a Greta, preocupado com tudo.

Foi então que Colton McCarmack foi até a mesa deles, o cabelo ruivo brilhando como uma moeda de cobre nova. Dois de seus amigos o acompanhavam, mas pararam antes de chegar perto demais.

— Nós estávamos apostando se vocês tinham fugido.

— Espero que você não tenha perdido muito dinheiro — disse Call. — Calma aí, na verdade espero que você tenha perdido.

Call deveria estar chateado por Colton vir incomodá-lo, mas sempre que ficava nervoso, também ficava irritadiço, e era bom colocar um pouco dessa irritação para fora.

— Nós estávamos conversando e nos lembramos de como o Alex era. Um cara maneiro. Um bom sujeito. Ele nunca teria feito uma coisa dessas — disse Colton, com uma risada de escárnio.

Tamara lançou a ele um olhar tão fulminante que Call ficou surpreso que o cabelo de Colton não tenha entrado em combustão mesmo sem que magia estivesse envolvida.

— Por que não vai bater um papo com seu velho amigo Alex? — perguntou Call, levantando-se. — Se vocês são tão amigos, talvez ele possa torná-lo o capanga número um dele.

Jasper gargalhou.

Colton pareceu mais indignado.

— Se ele está como você diz, sei que você teve alguma coisa a ver com isso. Você fez alguma coisa com ele. Você o corrompeu. O maligno é você.

— Ah, não — disse Celia, indo até eles e pondo o braço no de Colton. — Call vai fazer uma coisa corajosa amanhã.

Colton a encarou.

— Até você? — disse, e saiu pisando firme.

— Boa sorte — disse Celia baixinho a Call, depois foi atrás de Colton, com um olhar estranho na direção de Jasper.

— Que negócio foi esse? — perguntou Tamara.

Jasper deu de ombros, sem graça.

— Ela foi me procurar hoje cedo. Talvez a gente não resolva as coisas.

Call estava chateado demais para entender a vida amorosa de Jasper. Estava pensando em Alex, em como tinha achado que ele era amigável, engraçado, legal. Pensou que Alex era uma boa pessoa, assim como Aaron. Mas tudo aquilo era superficial, fingimento. A alma de Alex tinha sido terrível o tempo todo.

Todos nós achávamos que ele era legal, disse Aaron. *Era o que ele queria que a gente pensasse.*

Evidentemente, Call também tinha uma alma maligna. E talvez Colton estivesse certo quanto a isso, porque de repente Call soube como iria vencer. E não era um plano que alguém poderia descrever como bom.

— Tamara — disse —, posso falar com você um segundo?

Nesse momento o Mestre Rufus foi até a mesa deles.

— Que bom que vocês voltaram. Recebi uma mensagem de Alastair dizendo que vai se atrasar. Ele vai estar aqui amanhã. Mas hoje a Assembleia quer ver vocês. Todos vocês. Eles querem examinar o plano final. Se terminaram o café da manhã, venham comigo.

Tamara, Gwenda e Jasper se levantaram. Enquanto acompanhavam o mestre Rufus, saindo do refeitório, Call pôs a mão no braço de Tamara.

Tem certeza?, perguntou Aaron.

— Preciso contar uma coisa — disse Call a ela. — Porque não quero que a gente tenha nenhum segredo.

No caminho até a Assembleia ele sussurrou, explicando tudo que tinha pensado. Ela não o contradisse, nem quando ele achou que ela faria isso. Não disse que ele estava errado.

Só perguntou:

— Você acha que vai funcionar?

— Espero que sim — respondeu Call, e então entraram para enfrentar a Assembleia.

↑≋△○@

Os membros da Assembleia sempre pareciam sérios. Naquele momento, aparentavam estar num velório. Call olhou ao longo da comprida mesa de madeira, reconhecendo os rostos — os Mestres do Magisterium, pessoas de famílias importantes, como os Rajavis, com Graves presidindo.

— Sr. Hunt — disse Graves, sinalizando para Call e Tamara chegarem diante da mesa.

A mesa ficava em cima de um tablado, de modo que os membros da Assembleia olhavam para eles de cima para baixo, alguns impassíveis, alguns com pena.

— Sabemos que vocês andaram orquestrando um plano.

— Isso — respondeu Call, tentando projetar toda a autoridade que nunca imaginara que possuiria. — Vamos arrancar Alex do caos.

— Vocês acham que podem torná-lo des-Devorado? — perguntou a Mestra Milagros. — Isso nunca foi feito.

— Na verdade foi — disse Call. — São necessários quatro Devorados, representando cada um dos quatro elementos.

— E você quer que nós forneçamos Devorados das nossas celas? — perguntou Graves. — É impossível.

— Não será necessário — interveio Tamara, com raiva. — Já montamos nossa equipe.

— Embora vocês tenham prometido cooperar e ajudar — acrescentou Call.

— Nós prometemos não ficar no caminho — declarou Graves. — E não ficamos.

— Então é melhor continuarem assim — disse Call. — Porque todo esse plano depende de Tamara, Jasper e eu fazermos o que vocês querem. E em troca nós queremos uma coisa.

— Que seria? — perguntou o Mestre North.

— Queremos deixar Alex Strike viver — respondeu Call.

Um murmúrio percorreu a sala. Call ouviu as palavras *traidor*, *nunca* e, como sempre, *inimigo*. A raiva cresceu por dentro e ele se permitiu senti-la. Era melhor do que medo.

Não sou quem vocês acham que eu sou, pensou ele, olhando a Assembleia. *Sou pior.*

Tamara falou acima do burburinho:

— Ficamos sabendo que talvez Alex não esteja no controle de si mesmo. Talvez esteja dominado por outra pessoa. Talvez nunca tenha *escolhido* fazer essas coisas.

Jasper virou a cabeça rapidamente na direção de Call. Gwenda franziu a testa. O Mestre Rufus também. Todos obviamente queriam interrompê-lo, mas não fizeram isso.

— Sob o controle de quem ele poderia estar? — perguntou Graves. — Todos nós o vimos no campo de batalha. Todos o vimos comandar um exército de Dominados pelo Caos. E se ele estivesse sob controle do Mestre Joseph, o feitiço terminaria quando Joseph morreu.

Call respirou fundo.

— Da madrasta dele, Anastasia Tarquin.

Todos ficaram boquiabertos, olhando uns para os outros. Anastasia Tarquin fora membro da Assembleia. Só depois da última batalha é que descobriram sua traição e perceberam quem ela realmente era: mãe de Constantine Madden, trabalhando nos bastidores para ajudar o Mestre Joseph a dominar Call, esperando que ele se lembrasse de seu passado.

— Se Alex for derrotado e ficarmos sabendo que por acaso ele não estava agindo sozinho, queremos apenas que vocês concordem em não trancafiá-lo no Panopticon — disse Call. — Sei como é passar por um julgamento injusto. Sei qual é a sensação de as pessoas acharem que você é mau quando na verdade as circunstâncias o empurraram nessa direção e você não tinha escolha.

— E você acredita mesmo nisso, com relação ao Alex? — perguntou o Mestre Rufus, erguendo suas sobrancelhas expressivas.

— Sei como é sentir que a gente não pode voltar, que não tem nenhuma esperança de uma segunda chance.

Call tentou parecer tão compassivo e heroico quanto possível, mas tinha medo de estar dando a impressão apenas de uma pessoa com os olhos arregalados. Por outro lado, seus olhos não poderiam estar mais arregalados do que os de Jasper.

— Se você acredita que pode derrotar Alex e deixá-lo vivo — disse Graves —, então acredita que ele pode ser aprisionado?

— Isso é ridículo — reagiu o Sr. Rajavi, olhando incrédulo. — Ele ainda será um Makar sem controle.

— Não será — disse Call rapidamente. — Tirar todo o caos dele vai tirar também os poderes de Makar. Ele será um mago comum.

Graves balançou a cabeça lentamente.

— Isso é loucura.

— Pensem no que ele sabe — disse Tamara de repente. — Toda a magia do Mestre Joseph, os segredos de Anastasia. Se ele morresse e nós nunca ficássemos sabendo dessas coisas...

Os olhos de Graves brilharam.

— Vocês entendem que, se ele parecer rebelde e resistir, precisaremos matá-lo.

— Sim — concordou Call. — Entendemos. Só achamos que existe uma pessoa boa lá dentro, presa sob as ordens de Anastasia.

— Assim que Alex Strike for dominado ele terá de se apresentar à Assembleia e fazer um relato de todos os seus malfeitos e do papel de Anastasia neles. Então decidiremos em que acreditar — declarou Graves.

— Entendo — disse Call. — Obrigado. Mas há mais uma coisa. Quero que mudem a política em relação aos Devorados.

— Você não pode estar falando sério! — reagiu o Mestre North.

— Estou. Se eles nos ajudarem a derrotar Alex, vão querer ser tratados com justiça. Não como criminosos e monstros.

— A maioria deles vive discretamente em meio à natureza — acrescentou Jasper de repente. — Ninguém está dizendo a vocês que não se deve prender um Devorado que faz algo de errado, mas também é errado presumir que eles são maus sem darem uma chance.

— Isso tem a ver com a sua irmã — disse Graves, espiando Tamara com os olhos estreitos. — Não é?

— Ravan é um bom exemplo — respondeu ela com teimosia. — Ela nunca fez nada de errado.

Jasper soltou uma tosse que pareceu dizer *fugiu da prisão*. Call e Tamara o ignoraram.

— Ela ajudou a derrotar o Mestre Joseph — disse Tamara. — E por isso está sendo caçada.

— Ela é perigosa — declarou Graves.

— Muitas coisas são perigosas — interveio a Sra. Rajavi em tom seco. Seu marido a olhou como se quisesse comunicar alguma coisa, mas ela estava olhando em frente. — Ainda que a Assembleia conclua que minha decisão é tendenciosa, eu gostaria de dizer que o fato de conhecer Ravan me revelou que, ainda que os Devorados não sejam como eram antes da transformação, também não são elementais. Deveríamos tratá-los melhor e poderíamos tê-los como aliados.

Graves pigarreou.

— Isso é tremendamente irregular.

Call esperou, não querendo ceder.

— Vamos discutir e informaremos nossa decisão a vocês — disse Graves finalmente, insatisfeito. — E agora queremos desejar sorte a vocês três amanhã. Estaremos prontos para ajudá-los assim que Alex for... subjugado. Estaremos lá, com os escudos, para garantir que Alex não possa invocar mais nenhuma criatura do caos. Seremos testemunhas da sua coragem.

Mas não iremos ajudar vocês.

— Ah, obrigado — disse Call. — Ótimo. E quando tivermos terminado voltaremos para discutir nossa recompensa.

— *Recompensa?* — gaguejou Graves. — Que recompensa?

— Vocês saberão — prometeu Call, rindo na direção de Jasper.

Se conseguissem fazer o resto, tirar o pai de Jasper da prisão seria moleza.

Enquanto saíam juntos da Assembleia, Call ouviu o Mestre Rufus sendo interrogado e se sentiu um pouco mal. Mas era difícil sentir culpa demais quando ainda estava tão nervoso com a realização de seu plano.

— O que foi aquilo lá dentro? — quis saber Gwenda.

— Como assim? — perguntou Call com inocência.

— Você acha mesmo que Alex está sendo controlado por outra pessoa?

Ela pôs a mão no quadril e lhe deu o tipo de olhar de quem acredita ser capaz de detectar uma mentira a partir de algum cacoete físico. Call esperava que isso não fosse verdade.

— Talvez — respondeu.

— Ótimo. Não me diga. Vou voltar para o quarto. Jasper, vamos.

Ela saiu pisando firme. Surpreendentemente, Jasper a acompanhou sem comentários.

Tamara suspirou, parecendo culpada.

Você sabe que não terminamos, não é?, perguntou Aaron.

Como assim?

Bem, você não vai gostar, mas tem mais uma pessoa que você vai ter de colocar a bordo.

Quem?, perguntou Call, apesar de ter uma sensação ruim, de que já sabia.

Anastasia Tarquin. Você precisa convencê-la a confirmar sua história.

Ela não vai fazer isso.

Call explicou a Tamara sobre Anastasia Tarquin e que Aaron achava que eles deveriam entrar em contato com ela.

— Mas eu nem sei como fazer isso.

— A gente deveria ligar para ela — sugeriu Tamara. — Pelo telefone de tornado.

— Isso não vai funcionar! — disse Call. — Alex provavelmente está por aí fazendo maldades com ela. Não creio que ela esteja parada esperando telefonemas.

— Bem, se não funcionar, vamos precisar tentar outra coisa.

Tamara mudou de direção e foi rumo à sala de Rufus.

Não quero fazer isso, pensou Call. *Nunca sei o que dizer à Anastasia.*

Olha, disse Aaron. *Eu passei algum tempo em lares adotivos. Sei como falar com pessoas que querem que você as chame de mãe.*

Call não tinha como questionar. Acompanhou Tamara até a sala de Rufus, um caminho que os levou ao longo do rio subterrâneo. Lembrou-se da primeira vez em que ele, Tamara e Aaron viajaram juntos por esse mesmo rio, a bordo de um barco com Rufus. Ficaram maravilhados ao vê-lo invocar elementais da água para impelir o barco. Call se lembrou das risadas de Tamara e Aaron ricocheteando nas paredes da caverna.

Lembranças enevoadas, translúcidas, de como nós éramos, disse Aaron.

Call fungou. Chegaram à sala do Mestre Rufus e Tamara manteve a porta aberta para ele. O telefone de tornado estava sobre a mesa e pela primeira vez Call notou uma foto perto dele, mostrando Rufus de pé com o braço em volta de um homem que usava óculos com aro de ouro. Parecia um sujeito legal, do tipo que poderia ser dono de uma livraria ou de um teatro. Call se perguntou como o sujeito se sentiria ao descobrir que era casado com um ninja mágico secreto.

Tamara pôs a mão no vidro que continha telefone de tornado.

— Anastasia Tarquin — disse ela.

A fumaça dentro do vidro girou em uma amálgama. Call viu os contornos do que parecia um apartamento moderno: um espaço grande com muita madeira, objetos cromados e janelas grandes com vista para o que ele supôs ser Nova York. Anastasia, parada junto a uma grande pia de metal, levantou os olhos com surpresa quando a fumaça focalizou seu rosto.

— Quem é? — sibilou ela, olhando em volta.

— Eu. Callum Hunt.

A expressão de Anastasia mudou. Ela hesitou, depois disse:

— Não é seguro falar. Ele pode voltar a qualquer segundo.

— Ela está falando do Alex — murmurou Tamara.

Diga que você sentiu falta dela, sugeriu Aaron.

— Senti sua falta — disse Call.

Ela não iria acreditar, pensou. Call se recusara a visitá-la na prisão. Mas a expressão de Anastasia se suavizou.

— Encontre-se comigo na aldeia abandonada da Ordem — pediu ela. — Lá poderemos conversar. — De longe veio o som de uma porta se abrindo. Ela balançou a mão freneticamente. — Vá! Vejo você em uma hora!

Tamara tirou a mão do vidro e a imagem dentro dele girou até voltar a ser fumaça, mas não sem antes dar a Call um vislumbre de Alex entrando no apartamento. Ele parecia irradiar trevas, mesmo através do mecanismo do telefone.

— Estou me sentindo péssimo — disse Call, olhando para a fumaça.

— Não tanto quanto a gente vai se sentir depois de falar com ela — reagiu Tamara em um tom casual. — A aldeia fica bem longe, é melhor irmos logo.

— Acho que você não deveria ir — disse Call, sabendo que ela não gostaria disso.

— É lógico que vou. Não seja ridículo.

— Pode ser uma armadilha. Não *acho* que seja, acho que ela falou a sério, mas Anastasia pode decidir que precisa me manter em segurança e me sequestrar de novo. É sempre uma possibilidade.

— Então eu vou estar lá para ajudar você a fugir.

— Mas se Anastasia realmente for, talvez seja mais fácil convencê-la se eu estiver sozinho.

Call suspirou. Também não queria ir sozinho, mas sabia que deveria.

Pelo menos eu vou estar junto, disse Aaron.

— Ok — concordou Tamara. — Não vou até lá com você, mas vou ficar no topo da colina para garantir que nada aconteça. Se Anastasia trair você ou tentar te sequestrar, pelo menos posso avisar às pessoas. Pelo menos a gente vai poder ir atrás de você.

Call suspirou.

— Está bem.

Mas ele se sentia péssimo mesmo assim.

Os dois saíram discretamente pelo Portão da Missão. Quando passaram por outros alunos, Call notou alguns sussurros, mas não pareceu nada de muito ruim. Ninguém estava carrancudo nem parecia estar com medo. Eram como Call antigamente, olhando os alunos mais velhos saírem para uma missão importante.

Caminharam juntos pela floresta, Tamara pegando a mão de Call quando precisavam passar por cima de uma área rochosa ou pular um tronco. Call pensou na noite em que ela havia ido ao seu quarto de hotel e na conversa que quase tinham tido. Talvez devesse dizer alguma coisa. Mas talvez não fosse a melhor hora para falar do relacionamento, já que havia a possibilidade de Anastasia tentar arrancar sua cabeça com magia do vento no momento em que o visse.

Ainda estava tentando pensar no que dizer quando chegaram ao topo da colina.

Tamara se inclinou e beijou o rosto dele.

— Para dar sorte — disse diante de sua expressão de surpresa. — Boa sorte ao Aaron também. Vocês vão se sair muito bem.

O que era meio esquisito, mas ele ficou feliz em ouvir.

— Se escutar um grito aterrorizado, esganiçado, saiba que sou eu — disse Call, e começou a descer a colina.

Anastasia já estava parada no que restava da aldeia da Ordem da Desordem, com um elemental do ar flutuando atrás dela. As casas pareciam ainda mais destruídas e havia mais mato crescido do que na última vez em que tinham estado ali, quando lutaram contra Alex e Aaron morrera. Era horrível ver o mesmo lugar de novo, com os jogadores em posições tão semelhantes.

Nem me fale, observou Aaron. O nervosismo em sua voz preocupou Call. Afinal de contas, estavam no lugar onde Aaron morrera. Tentou afastar o pensamento, para que Aaron não precisasse compartilhá-lo.

Anastasia sorriu quando Call apareceu e ele sorriu de volta. Ele tentou sentir simpatia. Afinal de contas, a mulher amava Constantine apesar de tudo que ele tinha feito. Ela o amava o suficiente para trazê-lo ao Magisterium e trabalhar por trás dos panos para garantir que ele ficasse em segurança, mesmo depois de ter se transformado num monstro, em uma pessoa completamente diferente.

Ela tinha amado Constantine mais ou menos como Alastair amava Call, só que Call não achava que Alastair teria aguentado tanta coisa do Inimigo da Morte. Mas talvez ele estivesse errado. Talvez Alastair o amasse mesmo que ele fosse um Suserano do Mal.

Call não sabia direito no que acreditar. Mas isso o fez sentir-se um pouquinho mal por Anastasia.

Diga a ela que nós destrancamos algumas lembranças, sugeriu Aaron. *Só não diga quais. Diga que você lamenta não ter se lembrado dela antes.*

— Tenho uma coisa a dizer, Anastasia — disse Call.

Ela o encarou com uma mistura de hesitação e esperança.

— Eu realmente não me lembrava de você, e sinto muito — continuou ele. — Mas depois de Alex vir para cá, percebi que Constantine tinha trancado as lembranças dele dentro da minha cabeça. Ele estava preocupado pensando que um bebê não suportaria as lembranças de um adulto, então arranjou as coisas de modo que eu pudesse me lembrar apenas quando estivesse pronto para isso.

— E você está pronto?

— Acho que sim. Nós fomos atacados por lobos, e as lembranças simplesmente se abriram. Vi a mim mesmo andando de um lado para o outro na frente do túmulo de Jericho.

Diga que conseguiu vê-la. O tom de Aaron estava firme.

— E eu pude ver você, mãe. Eu sei o quanto você me amava e o quanto se importava com o meu destino.

O rosto de Anastasia começou a desmoronar. Sua maquiagem cuidadosamente aplicada escorreu enquanto as lágrimas desciam pelas bochechas.

Diga que a culpa não é dela.

— Nada do que aconteceu comigo foi sua culpa — disse Call.

— Ah, Con.

Ela ofegou e se jogou para cima dele, agarrando-o num abraço apertado. Call firmou os calcanhares na terra macia para não ser arrancado do chão. Era tão alto quanto Anastasia, mas ela tinha a força da histeria.

— Só que agora eu preciso da sua ajuda — disse Call.

Não tão impaciente. Vá com calma.

— Por favor — acrescentou Call. — Tem a ver com o Alex.

Ela recuou, perturbada.

— Sei que ele está com muita raiva — disse Anastasia. — Ele culpa você, e não deveria. Ele não entende que você não lembrava. Tenho certeza de que quando você explicar...

Explicar a Alex?, Call conteve uma gargalhada.

— Não vai ser possível — disse. — O Magisterium acertou as coisas de modo que Alex e eu teremos de lutar. Eles querem que eu o mate.

— Selvagens! — O rosto de Anastasia ficou sombrio. — Forçar um irmão a lutar contra o outro.

Ela não pode pensar a sério que somos irmãos.

Você não pode contradizer Anastasia, insistiu Aaron. *Faça com que ela entenda o perigo. Você e Alex podem morrer.*

— Você sabe como eu sou forte — disse Call, tentando olhá-la como Constantine teria feito. — Se Alex e eu lutarmos, vamos matar um ao outro.

Ela parecia estar com medo.

— Ele é um Devorado do Caos.

— Acho que nenhum de nós dois vai sobreviver. É por isso que preciso da sua ajuda.

— Nós poderíamos fugir. Nós três. Vivermos juntos, eu e meus dois filhos.

Ela o encarou com os olhos cheios de lágrimas.

— Não enquanto Alex for um Devorado do Caos. Pense nisso como uma doença que a gente precisa curar. Enquanto o caos estiver em Alex, ele vai me odiar e um dia vai começar a odiar você também.

— Os Devorados não podem ser curados — protestou Anastasia.

— Podem. — Call tentou passar confiança enquanto Aaron falava com ele silenciosamente. — Eu planejei tudo. O Magisterium insiste que esse confronto aconteça e eu sei como retirar o caos dele. Assim que isso acontecer, todos vamos ficar bem: desde que você diga a eles que Alex só fez as coisas ruins que fez porque você pediu.

— Porque eu pedi? — Ela recuou. — Como isso vai ajudar?

— É o que eles já pensam, de qualquer modo.

Não conte a ela que eles pensam isso porque você disse.

Call ignorou isso.

— Eles precisam acreditar que não era ele. Caso contrário, irão persegui-lo até os confins da terra e executá-lo. Mas você pode assumir a culpa e escapar.

Diga a ela que não é realmente culpada. Que ela vai ser uma heroína. Muitas pessoas vão pensar que ela fez a coisa certa.

Call respirou fundo.

— Muita gente não concorda com as decisões do mundo dos magos. O modo como eles matam os Makars na Europa. O modo como tratam os Devorados. O modo como culparam Constantine quando tudo que ele... tudo que *eu* estava tentando era acabar com a morte e o sofrimento.

Anastasia assentiu com o olhar fixo nos olhos dele. Call sentiu que estava fazendo o discurso mais importante da sua vida.

— Tenho certeza de que, quando você se levantar e falar, muitos ficarão ao seu lado — disse Call. — E você pode fugir em seu elemental do ar. Certifique-se de que ele esteja a postos.

Fale sobre o futuro, pediu Aaron.

— O Magisterium vai perdoar Alex. E então iremos até você e nós três vamos deixar o mundo dos magos para trás. Podemos passar a vida viajando. — Ele pensou nas palavras semelhantes que Alastair lhe dissera ao pedir que ele deixasse o Magisterium. — Nós podemos ficar juntos.

Os olhos frios e cinzentos de Anastasia reluziram.

— Muito bem — disse ela, lentamente. — É melhor você me contar exatamente como esse plano vai acontecer.

CAPÍTULO QUINZE

Call se sentia culpado enquanto subia a colina. Quando viu Tamara no topo, sua expressão estava soturna.

— Não deu certo? — perguntou ela.

— Deu. Eu só estava pensando em como talvez eu entenda por que as pessoas sentem medo dos magos do caos. Talvez elas *devessem* ter medo.

Tamara pôs a mão no ombro de Call.

— Não é justo que tenha que lidar com tudo isso só por ser Makar. Não foi justo quando era o Aaron, e não é justo quando é você. Nós ainda somos praticamente crianças. Talvez não tão crianças como quando chegamos no Magisterium, mas somos novos demais para sermos responsáveis pela vida de tantas pessoas. Acho que você está se saindo bem demais.

— Se você acha, então imagino que deve ser verdade.

Isso é minha culpa, disse Aaron.

Não é, não, pensou Call de volta. *Dessa vez não é culpa de nenhum de nós.*

Tamara pegou a mão dele e ficou segurando-a até voltarem ao Portão da Missão. Quando eles passaram, Jasper e Gwenda estavam esperando, sérios.

— O que aconteceu? — perguntou Call, falando acima das outras vozes.

Gwenda pareceu abruptamente sem graça, e uma pontinha de medo o atravessou.

— É melhor vocês virem — disse Jasper. — Agora.

E começou a andar pelos túneis tão rápido que Call precisou pedir que ele diminuísse a velocidade duas vezes. Quando chegaram à sala compartilhada, o Mestre Rufus estava à espera, muito sério.

Ao lado dele havia um Devorado do ar: uma névoa acinzentada que saía da forma de seu corpo para se evaporar. Suas feições foram ficando cada vez menos nítidas enquanto o formato de nuvem de seu corpo mudava.

Call podia ver os óculos, a forma do rosto, até a silhueta translúcida de cabelos castanhos e grisalhos. Call o conhecia. Não queria, mas conhecia.

O Devorado era Alastair, seu pai.

Por um momento a perna ruim de Call quase cedeu. Ele tombou de lado e se firmou numa mesa. Todos os seus pensamentos tinham fugido. Ele não queria acreditar no que estava olhando. Não queria ver o que estava à sua frente. Não queria compreender.

— Pai — disse, a palavra saindo embargada.

Tamara perdeu o ar.

Ele deve mesmo amar você, disse Aaron, o que pareceu totalmente errado para Call, ao mesmo tempo em que era verdade.

— Pai — repetiu ele.

A forma enevoada fluiu em sua direção, envolvendo-o em um redemoinho de vento. Não havia nada de reconfortante nesse toque. Era inumano demais, frio demais.

— Call — disse a voz de Alastair. — Sinto muito. Mas era o único modo que eu tinha de ajudar você.

— Nós teríamos encontrado outra pessoa — disse Call, em desespero.

— Não havia tempo.

— Mas você odeia magia! — gritou Call, agora com raiva.

Não era justo que Alastair precisasse se sacrificar. Nada daquilo era justo, nada daquilo jamais tinha sido, mas Alastair não deveria precisar abrir mão de tudo.

— Como você vai às vendas de garagem agora? Como vai trabalhar com carros? Como sequer vai dirigir? O que vai acontecer com todos os seus carros antigos? E a nossa vida juntos? E a *nossa vida*?

— Preciso ajudar você, Call. Não existe vida para mim se alguma coisa acontecer com você. Você é meu filho.

— E o senhor é pai dele! — interveio Tamara. — Não deveria ter feito isso! Call precisa do senhor.

— Eu também não queria isso — disse Alastair. — Vou sentir falta de irmos ao cinema, de trabalharmos juntos nos carros, de passearmos com Devastação, de sermos pai e filho. Fazer parte da vida dele enquanto ele ficar mais velho e se casar, balançar um neto nos joelhos.

Tamara parecia abalada.

— Talvez esse seja o preço que eu preciso pagar por não ter contado a Call a verdade sobre a magia durante tantos anos — disse Alastair. — Por todas as vezes em que não confiei nele. Nós precisamos confiar em quem amamos.

— Agora é mais importante ainda que a Assembleia mude as regras com relação aos Devorados — disse Jasper em tom sombrio. — Para que Alastair possa estar com Call algumas vezes. E para que você possa ver Ravan, Tamara.

— Ravan. — Ela ofegou baixinho. — Precisamos convocá-la e os outros. A gente não precisa estar na torre do Alex ao amanhecer?

— Alastair — disse o Mestre Rufus em um tom de voz trovejante. — Você fez uma coisa nobre. Nobre e dolorosa. Ainda que o Magisterium não aja, eu farei todo o possível para ajudá-lo.

— Obrigado, bom mestre — disse Alastair. — Esperarei vocês todos do lado de fora do Portão da Missão ao amanhecer.

Ele se dissolveu no ar e sumiu. Call se jogou sobre a mesa. Nesse momento, não se importava com Alex. Não se importava com nada, a não ser o pai. Não conseguia pensar em qualquer outra coisa além de Alastair e em como ele estava *bem* e ao mesmo tempo *nem um pouco bem, e nunca mais ficaria bem.* Sentiu-se completamente entorpecido. Entorpecido e estranho.

— Tamara, Gwenda, Jasper — disse Rufus. — Vão se preparar para amanhã. Providenciamos novos uniformes para vocês, com feitiços na trama que repelem magia sombria.

Não sabia que vocês podiam fazer isso, maravilhou-se Aaron.

— Callum, fique aqui um momento — pediu Rufus. — Quero trocar uma palavra com você.

Os outros saíram, Tamara com relutância; Call viu que ela queria ficar com ele. Ele também precisava se preparar. Todos deveriam sair de manhã cedinho. Mas sentiu que não conseguia ficar de pé. De algum modo, o que Alastair fizera havia sido a gota d'água.

— Call — disse o Mestre Rufus. — Preciso que você saiba de uma coisa. Eu tive muitos alunos no decorrer dos anos. Alguns dos melhores que já entraram no Magisterium. E alguns dos piores.

Call ficou olhando com ar perdido, à espera de que o Mestre Rufus dissesse que ele era um desapontamento.

— Sei que nem sempre estive perto quando você precisou de mim. Senti que você, acima de todos os outros, precisava encontrar seu próprio caminho. Frequentemente era doloroso não estender a mão. Mas mesmo quando teve chance de fugir para não enfrentar um Devorado do Caos, você não fez isso. — O Mestre Rufus inclinou a cabeça. — Acho que, dentre todos os meus alunos, você foi o que me deixou mais orgulhoso.

Hunf, disse Aaron.

— Eu estarei lá para ajudar você, amanhã — continuou Rufus. — O que quer que aconteça, estarei ao seu lado e ao lado de Tamara. Eu não poderia me sentir mais honrado.

Call pigarreou.

— Obrigado, Rufus.

Rufus assentiu e foi embora como sempre fazia, sem cerimônia. Call foi para seu quarto, exausto. Devastação, que estivera fechado lá dentro, pulou em cima dele, empolgadíssimo. Call caiu na cama e tentou dormir.

Não achou que conseguiria, mas, exausto e sentindo-se esmagado, dormiu.

↑≋△○@

Quando acordou, sentiu-se melhor em relação ao mundo. Ainda temia por seu pai, mas estava começando a perceber que ser um Devorado do ar talvez não fosse a pior coisa. Pelo menos Alastair não ficaria velho nem morreria como os pais dos outros. Alastair viveria mais do que Call. E talvez Alastair não pudesse preparar o jantar e cuidar dele exatamente como antes, mas ele nunca foi o melhor cozinheiro do mundo, e provavelmente Call iria para o Collegium. Se não morresse.

A atitude positiva não durou muito, disse Aaron.

— Você me conhece — respondeu Call. — Não é fácil morar junto, especialmente na mesma cabeça, mas acho bom que você esteja comigo. Acho bom que seja você na minha cabeça. Independentemente do que acontecer, você é o melhor amigo do mundo.

Não é muita gente que concordaria com minha presença, disse Aaron. *E quase ninguém teria se arriscado como você a me trazer de volta à vida. Você sempre age como se devesse me agradecer por ser seu amigo, só porque sou legal, educado e consigo fazer com que as pessoas gostem de mim. Mas sou eu que deveria agradecer, Call. E agradeço.*

Call riu. Sentia-se meio sem graça, mas no geral estava surpreendentemente calmo enquanto vestia o uniforme que o Magisterium lhe dera. Amarrou as botas, enfiou Miri no cinto e foi para a sala compartilhada. Ali viu Gwenda e Jasper se embolando no sofá, o que foi meio como entrar num campo de margaridas numa bela manhã de verão e ser atropelado por um caminhão.

Eca!, disse Aaron.

— Meus olhos! — gritou Call, cobrindo-os com a mão.

Tamara saiu de seu quarto bem a tempo de ver Jasper e Gwenda se separando.

— O que está acontecendo? — perguntou ela, franzindo a testa. — Ouvi um grito.

O pescoço de Jasper estava meio vermelho.

— A gente estava... é... só resolvendo umas coisas.

Gwenda olhava timidamente para o chão. Um sorrisinho curvava sua boca.

— Eu não fazia a menor ideia — disse Call, meio atordoado.

— Está brincando? — Tamara deu-lhe uma cotovelada. — Isso está rolando há séculos! O que você achou que era aquele flerte todo no carro?

— Flerte? — perguntou Jasper.

Agora ele estava chateado. Mas Gwenda e Tamara compartilharam um sorriso.

— Vamos, gente — disse Tamara. — Precisamos tomar café e depois seguir para nossa batalha com o Suserano do Mal. O *verdadeiro* Suserano do Mal.

Comeram rapidamente. Gwenda e Jasper ficaram de mãos dadas o tempo todo e Call pensou se deveria puxar Tamara para um beijo, segurar a mão dela ou alguma outra coisa. Não era justo que Jasper fosse bastante ridículo e ainda assim soubesse mais do que Call sobre relacionamentos, garotas e, às vezes, até magia.

Tamara gosta de você, disse Aaron. *Lembre: hoje estamos otimistas.*

— Você é sempre otimista — murmurou Call, baixinho.

Nesse momento houve uma batida à porta e o tempo de discussão chegou ao fim. O Mestre Rufus estava ali com a Mestra Milagros e Graves. Tinham trazido corda mágica.

— Não vamos amarrar seus braços com força — declarou Graves. — Mas precisamos dar a aparência de que estamos obedecendo às ordens dele.

— Tamara — disse a Mestra Milagros. — Sua irmã está aqui e quer falar com você.

— Ravan?

— Não, Ravan ainda não foi invocada. É Kimiya. Ela está esperando do lado de fora do portão.

De repente Call se lembrou de que Alex tinha ordenado que Kimiya também fosse entregue a ele, que ele achava que ela ainda era sua namorada.

Também se lembrou da última vez em que tinham visto Kimiya. Ela estava com os braços em volta de Alex enquanto ele contava vantagens e Tamara parecia ter levado um soco no estômago. Call não se sentia muito inclinado a gostar dela.

Tamara engoliu em seco.

— Certo. Quero falar com ela.

Foram pelo corredor atrás do Mestre Rufus. O clima otimista de Call estava se transformando rapidamente em tensão enquanto passavam por grupos de alunos que os encaravam em silêncio. Ele tinha quase certeza de que a maioria não sabia o que estava acontecendo, mas sabiam o suficiente para entender que não se tratava de coisas boas. Afinal de contas, muitos tinham visto o ataque de Alex e acompanharam a torre de ouro se erguendo no horizonte como uma faca apontada para o céu.

Call ficava olhando ao redor enquanto eles passavam. A porta de seu antigo alojamento, o que ele tinha compartilhado com Tamara e Aaron. O corredor para o Refeitório. O caminho sinuoso para a biblioteca. Os padrões reluzentes de pedras nas paredes. A escada que levava à Galeria. Não conseguia parar de se perguntar se essa era a última vez que veria tudo isso.

De repente houve um latido alto. Devastação tinha saído bruscamente pela porta do apartamento e vinha a toda velocidade pelo corredor. Quase trombou com Call, pulando para colocar as patas no peito dele e ganir freneticamente.

— O que está acontecendo? — Call deu um tapinha na cabeça de Devastação. — O que houve, garoto?

Nada, explicou Aaron. *Ele quer ir com você.*

— Ele só quer ir — disse Tamara. — A gente não deveria deixá-lo para trás.

— Mas ele não é mais Dominado. Não é justo levá-lo.

— Não é melhor que ele queira ir com você por amor e lealdade, e não porque está ligado a você pelo caos? — perguntou Rufus. — Ele é o seu lobo, e acho que ele mereceu o lugar ao seu lado.

Saíram pelo Portão da missão em um grupo de seis: o Mestre Rufus, Tamara, Gwenda, Jasper e Call, com Devastação atrás.

Call viu Kimiya imediatamente. Ela estava com o Sr. e a Sra. Rajavi, juntos como um grupo familiar unido. Todos olhavam cautelosos para um Alastair translúcido que pairava perto — mas não perto demais — de vários membros da Assembleia.

Dado o que havia acontecido com Ravan, Call sentiu que não podia culpar os Rajavis por olhar Alastair daquele modo. Qualquer tipo de Devorado devia horrorizá-los. Ainda assim ele os culpou.

Tamara se destacou imediatamente do grupo e correu para sua família, enquanto Call e os outros iam na direção de Alastair e dos magos. Devastação e Call cumprimentaram Alastair, que passou a mão feita de ar pelos cabelos do filho, agitando os fios sem exatamente tocá-los. Devastação farejou Alastair e latiu preocupado quando atravessou as pernas dele.

Em volta, alguns membros da Assembleia conversavam com outros magos que Call não conhecia e que estavam explicando sobre a torre. Pelo jeito eles realmente haviam construído aquela coisa enorme, com uma sala de TV e um monte de quartos, mas tinham usado os mesmos materiais enfeitiçados que empregavam no Panopticon. Seria muito mais difícil para Alex invocar criaturas do caos quando estivesse lá dentro — e eles planejavam lacrar a entrada assim que Call e seu pessoal tivessem entrado.

Isso também permitiria que os magos enxergassem através dos materiais, indo ao auxílio de Call se fosse possível.

— Se bem que isso cria o perigo de Alex Strike ser capaz de invocar mais elementais do caos — disse Graves.

Diga a ele que você não vai precisar de ajuda, sugeriu Aaron. *As pessoas gostam de ouvir esse tipo de coisa.*

Mas e se a gente precisar?, quis saber Call.

Só diga. Ele não estará mais ou menos capacitado para ajudar, independentemente do que você disser. Mas vai achar que você é corajoso e vai gostar mais de você.

Às vezes Aaron dava um pouco de medo. Não: muito medo.

— Eu posso cuidar do Alex — disse Call.

Graves realmente pareceu aliviado.

Antes que precisasse prometer mais alguma coisa, Call foi até onde Tamara falava com a família.

— Eu estava dizendo a todo mundo que sinto muito — disse Kimiya. — Não percebi como Alex estava cheio de ódio. Achei que seria meio divertido construir nossa própria organização, ter uma coisa nossa. Alex disse que a Assembleia tinha mentido para todo mundo, que Constantine estava morto havia muito tempo e que eles só queriam que todo mundo ficasse com medo. E quando percebi que era verdade, que Constantine *tinha* morrido, acreditei em todas as outras coisas que ele disse. Nunca pensei que ele faria mal ao Aaron. Se soubesse... *tudo* seria diferente.

Tamara olhou para a irmã parecendo duvidar.

— Ele queria machucar as pessoas. Ele fez isso.

— Eu tentei a sorte com alguém de quem eu gostava — disse Kimiya olhando objetivamente para Call. O que era totalmente injusto. Bom, um pouco injusto. — E errei. Mas agora estou aqui para ajudar a derrotá-lo.

Tamara olhou para a irmã sem carinho nem confiança. Às vezes Call se esquecia de como ela podia ser inflexivelmente teimosa.

— Você não vai ser contida — disse ela à irmã. — Você vai ter que tomar a dianteira no ataque, ok? Assim que estivermos dentro, será sua função garantir que os Devorados tenham tudo de que precisam para se manifestar. Inclusive Ravan.

Houve uma explosão suave quando o nome de Ravan foi dito. Ela apareceu, uma pluma de fumaça e chamas.

— Ravan — disse Tamara, suspirando aliviada. — Você veio.

A Devorada do fogo chegou mais perto, queimando. Agora era possível enxergar sua forma, o cabelo comprido e o rosto jovem, feito de chamas. Ela falou:

— Minha pequena família, feita de cera e pavio. Estão com medo de mim?

A Sra. Rajavi balançou a cabeça.

— Não consigo olhar.

Ela virou o rosto molhado de lágrimas.

— Mãe, você não me vê? — preguntou Ravan, tremulando. — Vai dizer que não me conhece?

— Ravan — disse a Sra. Rajavi, com uma tristeza imensa na voz. — Nós conhecíamos você, mas não temos certeza se conhecemos agora.

— Talvez eu seja impossível de ser reconhecida. — Ravan tremulou uma vez. — Mas mesmo assim vou queimar por vocês.

— Minhas filhas. — A Sra. Rajavi começou a soluçar. — Ah, Ravan. Ah, Tamara e Kimiya, será que vou perder todas vocês? Como isso pôde acontecer? Por que com a nossa família?

Tamara e Kimiya se adiantaram para reconfortar a mãe. Call sempre tivera sentimentos confusos com relação aos Rajavis. Eles tinham sido frios com ele, apesar de serem gentis com Aaron, e lhe pareciam sérios e cruéis. Mas a ideia de que aqueles pais corriam o risco de perder *todas* as filhas fez Call recuar para lhes dar espaço.

Foi imediatamente abordado pelo Mestre Rufus.

— Call. É hora de invocar os outros dois Devorados.

Call acompanhou o Mestre Rufus até o centro de um círculo de magos. Jasper e Gwenda já estavam lá. Os magos olharam em silêncio Jasper invocar uma pequena poça d'água, que borbulhou em volta dos pés dele. Jasper se ajoelhou e a tocou.

— Lucas — disse, e pulou para trás, surpreso, quando a poça saltou para cima numa coluna, formando a figura de Lucas. Os magos ficaram chocados e vários recuaram.

Era a vez de Callum. Ele tirou o geodo de Greta do bolso, abaixou-se e bateu com o cristal com toda a força na lateral de uma pedra.

O geodo se despedaçou em fragmentos brilhantes. Todos observaram os cacos com expectativa, mas nada aconteceu.

— Está funcionando? — sussurrou Jasper no ouvido de Call.

— Iu-hu — disse uma voz entediada e todos se viraram para ver Greta surgir e se deslocar ruidosamente como uma pilha de pedras até pairar perto da borda do círculo. — Estou aqui.

Ela e Lucas acenaram um para o outro. Alastair foi lentamente até eles, e Ravan pairou junto, deixando uma trilha de fagulhas. Todos os magos se afastaram para dar espaço aos Devorados, ou talvez para dar espaço entre eles e os Devorados.

Ouvindo gritos, Call se virou e encontrou Gwenda tendo uma discussão feroz com o Mestre Rufus.

— Mas eu *tenho* que ir — disse ela. — Eu faço parte do grupo de aprendizes! Eu ajudei a reunir os Devorados!

O Mestre Rufus balançou a cabeça.

— De jeito nenhum, Gwenda. Call, Jasper e Tamara vão porque Alex exigiu. Não vou sacrificar a segurança de mais uma aluna sem ter um bom motivo.

— Mas esse *é* um bom motivo — insistiu Gwenda. — Eu posso ajudar a protegê-los! — Ela girou e viu Call. — Call, diga a ele que eu tenho que ir com vocês.

Call hesitou.

— Gwenda, você tem sido uma boa amiga, e salvou nossa pele várias vezes desde o início do Ano de Ouro. Desculpe se algum dia subestimei você, mas de jeito nenhum Alex deixaria você ir com a gente. No minuto em que vir alguém que ele não pediu, ele vai soltar o caos.

Os olhos de Gwenda reluziram com fúria, mas Call percebeu que ela sabia que ele não estava mentindo.

— Não quero ficar para trás.

Call olhou para o Mestre Rufus.

— Ela não pode ir com os professores e a Assembleia? — perguntou. — Seria justo.

O Mestre Rufus suspirou.

— Verei o que posso fazer.

— Ouçam todos! — Era a voz de Graves, amplificada e ecoando. — Callum Hunt. Tamara Rajavi. Jasper deWinter. Por favor, venham até mim.

Tamara se afastou da família com relutância. Jasper saiu de perto de Lucas e, alguns segundos depois, todos estavam à frente de Graves, junto com Devastação, que tinha se enfiado ao lado de Call.

— Esse lobo Dominado... — começou Graves com raiva.

— Ele não está Dominado — disse Call. — É só um lobo comum.

Graves olhou para Devastação, que piscou com os olhos de lobo, normais, grandes e esverdeados. Graves pareceu irritado.

— Amarrem as mãos deles — disse.

A Mestra Milagros e o Mestre North se aproximaram por trás. Call e os outros levaram as mãos às costas e os professores começaram a enrolar tiras de metal flexível enfeitiçado em seus pulsos. Call sabia que isso era necessário, mas mesmo assim a raiva fervia por dentro dele.

— Essas amarras vão se soltar quando vocês fizerem força três vezes rapidamente — disse Graves. — Mas também serão destruídas, de modo que, por favor, não testem antes.

Tamara o olhou com culpa. Obviamente estava prestes a fazer isso.

Alastair girou no ar, tornando-se apenas vento, soprando em volta da cabeça de Call.

— Estarei com você — prometeu.

Um instante depois, um apito de metal caiu nas mãos atadas de Call. Ele fechou os dedos com força em volta do objeto. Quando olhou para Jasper, uma garrafa d'água estava enfiada no bolso dele. Tamara estava com uma bolota de carvalho e Kimiya com um par de palitos de fósforo que pareciam chamuscados numa ponta, como se Ravan tivesse se negado a parar de queimar.

— Preparem-se — disse Graves. — Vamos voar até a torre.

Os magos se ergueram no ar. Call sentiu-se sendo levantado, sentiu o vento soprando abaixo, mas com Alastair tão perto, mesmo tendo sua magia atada, não podia sentir medo. Lembrou-se de como tinha desejado não ter peso, de como quisera voar para evitar todas as dificuldades de uma perna que doía tanto.

Mas isso havia sido um desejo de criança. Agora seus problemas não podiam ser resolvidos por um pouco de magia.

Talvez eles possam ser resolvidos por um monte *de magia*, disse Aaron.

Voaram por cima de campos e estradas cinzentas que serpenteavam lá embaixo, com a floresta e o Magisterium ficando para trás. Call viu Devastação girando pelo ar, as patas balançando, e Tamara perto, o cabelo escuro voando como um estandarte. Ela olhou para ele e deu um sorriso encorajador.

À distância a torre de ouro se erguia, cada vez mais perto. Apesar de ter sido construída tão rapidamente e sem nenhum propósito a não ser atrasar Alex, ela era ao mesmo tempo linda e formidável. Call se perguntou que propósito ela poderia ter depois do dia de hoje.

Presumindo, lógico, que o propósito não fosse ser sua tumba.

Pousaram num gramado diante da única porta da torre. Assim que seus pés tocaram o chão, uma nuvem carregada passou no céu, sinalizando a chegada de Alex com um relâmpago que acertou um trecho de folhagens, escurecendo-o e fazendo todo mundo pular.

— Essa *criança* ridícula — resmungou Graves.

No céu, Alex e seu séquito ficaram visíveis.

Alex ainda estava montado em seu elemental do caos em forma de dragão, mas agora sua roupa estava ainda mais elaborada. Ele usava preto — óbvio — e enormes botas pretas com grandes fivelas prateadas na forma de relâmpagos. Também tinha uma capa sobre os ombros.

Aquilo é mesmo uma capa?, perguntou Aaron.

Aham, respondeu Call.

O cabelo de Alex estava espetado para cima, com gel. Voando ao seu lado havia mais dois elementais do caos, ambos com formas de cavalo que pareciam muito menos fixas. Às vezes pareciam ter asas; em outros momentos, em vez de pernas pareciam ter tentáculos de polvo, compridos e móveis. Call supôs que um era para Anastasia. Temeu que o outro fosse para Kimiya.

Enquanto Alex pousava, sua capa se agitou no ar e Call viu a coroa de metal opaco na cabeça dele, as pontas parecendo dentes. Por um momento, embora soubesse que tudo aquilo era calculado, que Alex só se importava com a ilusão, a ilusão funcionou. Call sentiu um fiapo de medo e estremeceu.

— Membros da Assembleia dos magos e outros luminares, fico feliz por terem decidido se curvar às minhas exigências e reconhecer minha superioridade — disse Alex. — Essa torre que construíram para mim é bem interessante. Não quero fazer nada nojento, estilo Inimigo da Morte, como reanimar pessoas ou animais. Esse não é o meu barato. Meu barato é todo mundo saber como sou espantoso e apavorante.

— Quer dizer, todo mundo no mundo dos magos? — perguntou Graves. Mesmo sendo só para aparentar, ele parecia furioso. — Você ainda pretende manter os grandes segredos da magia, não é?

Alex gargalhou e a multidão de criaturas em volta dele uivou e riu. Era uma coisa muito mais amedrontadora do que tudo que ele havia dito. Ele podia ser uma criança ridícula, como Graves tinha dito, mas tinha acesso a um poder enorme e a criaturas que podiam usá-lo.

— Manter o quê? — perguntou zombando.

— O silêncio do mundo dos magos! — trovejou Graves. — Nós não contamos aos que não possuem magia sobre a existência da magia. Isso coloca todos nós em perigo. Já foi suficientemente difícil construir essa torre idiota sem chamar atenção para o que estava acontecendo...

— Minha torre não é idiota — reagiu Alex, e fez um gesto casual na direção de Graves.

Um fogo preto saltou de seus dedos e engoliu o membro da Assembleia. Em segundos não restava nada além de um círculo de grama chamuscada.

Kimiya gritou, depois conteve o som com um esforço óbvio enquanto Alex franzia a testa para ela. Os magos também gritavam, vozes ecoando na clareira. Jasper olhou para Gwenda, com o rosto franzido de preocupação. Tamara apenas balançou a cabeça, séria.

O Mestre Rufus se adiantou, entrando no círculo escurecido.

— Alex Strike — disse.

Alex gargalhou.

— Mestre Rufus. Joseph falava de você o tempo todo. O grande mago que tinha ensinado a Constantine Madden. Mas ser seu assistente não revelou nenhuma grandeza. Constantine foi o que foi apesar de você, e não por sua causa. — Ele virou os olhos na direção de Call, com a boca se esticando num riso. — Afinal de contas, veja como você se saiu mal com Callum.

— Você pode fazer comigo o mesmo que fez com Graves — disse Rufus, e Call ficou tenso.

Achou que não suportaria se Alex varresse seu professor da face do mundo. Teria de se soltar das amarras, e isso arruinaria tudo.

— Mas então você não terá nada do que deseja. Estará declarando guerra contra a comunidade dos magos e, como você mesmo disse, você não quer isso. Quer ser deixado em paz.

— Verdade — disse Alex, examinando as próprias unhas.

— Seria mais fácil para você, também, se o mundo comum não ficasse sabendo sobre os magos — disse Rufus. — Pense no que você poderia fazer. Poderia usar sua magia para enganá-los e ganhar milhões.

Alex gargalhou.

— Talvez você *seja* brilhante, Rufus. Está bem. Vou manter a magia escondida. — Ele virou seus olhos reluzentes, cheios de estrelas, na direção de Kimiya. — Venha, querida. Você ainda me ama?

Kimiya deu um sorriso luminoso. Call ficou inquieto enquanto ela corria pela grama na direção de Alex e segurava o braço dele. Ou ela estava fingindo coragem ou iria trair todos eles.

Alex se inclinou para beijá-la. Tamara fez um som de revolta. Felizmente foi um beijo rápido e Alex se separou rindo, o braço em cima dos ombros de Kimiya.

— Mandem os reféns se adiantarem — disse Alex. — Façam com que eles andem para a entrada.

Os olhares de Tamara e Call se encontraram. Pelo menos estavam juntos nisso. Aaron também. Os três contra o mundo. Quem imaginaria que, quando Rufus os havia escolhido, eles se tornariam as pessoas mais importantes da vida de Call? Ele olhou para Jasper, para o rosto decidido do garoto. Call nunca havia pensado que os dois seriam amigos, mas, de algum modo, sempre que sua vida precisava ser salva, Jasper estava ali, estendendo a mão — em geral com alguma fala sarcástica, mas mesmo assim presente.

Call deu um passo à frente e os outros fizeram o mesmo. Foram pela grama até o lugar onde o chão passava a ser de cascalho. O solo ainda estava revirado pelos pés dos magos que trabalharam na construção da torre. Devastação se colocou ao seu lado, mantendo o corpo peludo bem próximo à sua coxa, de modo protetor.

Call olhou para trás. Os magos da Assembleia pareciam muito distantes. Só podia ver Gwenda e Rufus...

Com um movimento do pulso Alex lançou uma chama de fogo do caos na direção de todos eles. Call conteve um grito ao perceber que Alex não estava atacando, mas lançando um bloqueio. O fogo subiu por uma parede interminável que se curvou ao redor deles, separando Jasper, Call, Tamara, Kimiya, Devastação e Alex dos magos, mas permitindo que acessassem a torre.

Alex deu um risinho.

— Vejamos nosso novo lar. Callum, pode ir na frente.

Com um último olhar para o fogo que o separava do Mestre Rufus, Call foi arrastando os pés na direção da entrada da torre, uma enorme porta de madeira pesada. Como não era capaz de abri-la, ficou parado até que um dos elementais do caos se aproximou. A criatura estendeu um tentáculo para a porta, mas no ponto onde ela tocou a madeira havia apenas um buraco onde antes estivera a maçaneta.

— Automotones! — gritou Alex. — Faça.

O enorme elemental do metal saiu da fumaça que os rodeava e avançou para a porta. Call ficou olhando: todos tinham lutado contra Automotones uma vez e quase foram mortos.

Automotones dirigiu-se pesadamente até a porta. Seus olhos, que eram engrenagens, giravam fazendo barulho. Sua mão disparou adiante, e uma lâmina vibrando e zumbindo apareceu em sua extremidade. Ele serrou a porta até que um enorme pedaço caiu com estrondo no chão.

Alex vai ter de mandar consertar essa porta, pensou Call. *Definitivamente não é um cara que costuma planejar a longo prazo.*

Automotones recuou, e todos entraram com vários níveis de relutância. O primeiro andar era um grande cômodo redondo, totalmente vazio a não ser por um tapete e uma escadaria espiral.

Call subiu e os outros foram atrás.

O segundo andar era um salão gigantesco com janelas enormes através das quais Call podia ver as copas das árvores. Havia vários sofás e uma cozinha pequena, junto com uma tela grande como a da Galeria, onde Alex costumava projetar filmes. Como Call não tinha certeza de para onde Alex queria que ele fosse, parou e foi na direção do canto mais distante. Tamara foi atrás, e depois Jasper.

— Agora — disse Call a eles.

Em seguida fez força três vezes contra as cordas e suas mãos estavam livres. Depois levou o apito à boca e soprou. Nenhum som saiu, apenas um vento louco que percorreu o salão até se amalgamar na forma de Alastair e depois desaparecer de novo. Ao seu lado, Lucas se manifestou — e em seguida Greta. Mas os dois sumiram quando Alex entrou no salão. Call manteve as mãos às costas, apesar de não estarem mais atadas. Tamara e Jasper fizeram a mesma coisa.

Alex deu um sorriso presunçoso, girando para admirar sua nova casa, com a capa farfalhando atrás dele. Estava segurando uma das mãos de Kimiya. Call achou que o sorriso no rosto dela parecia forçado.

Esperou que fosse mesmo.

— É bem legal aqui, não é? — disse Alex, balançando um braço para indicar todo o espaço: o piso de mármore, os grandes sofás com almofadas, a TV enorme. — Mãe! Estou em casa!

Anastasia, pensou Aaron. *É óbvio que ela está em algum lugar aqui.*

— Alex? — todos ficaram imóveis enquanto Anastasia descia a escadaria, vinda do andar de cima. Ela usava um vestido branco e uma espécie de capa branca e diáfana. Seu cabelo cor de gelo estava preso num coque apertado.

Ela olhou firme para Call por um longo momento, e ele não conseguiu decifrar sua expressão. Sentia-se gelado por dentro: e se ela tivesse visto pela janela o que havia acontecido com Graves? E se estivesse reconsiderando tudo?

Calma, disse Aaron. *Você não sabe disso.*

Mas ele também parecia apavorado.

Anastasia atravessou o salão até ficar perto de Alex, que sorriu de orelha a orelha. Ele olhou para Call com um riso de desprezo que parecia exagerado, como se tivesse sido ensaiado diante de um espelho.

— Você achava mesmo que o Magisterium valorizava a vida de vocês o suficiente para salvá-los, não é, Call Hunt? — Ele gargalhou. — Mas eles entregaram vocês três imediatamente. São covardes, como todos os magos. Eu li todos aqueles livros na casa do Mestre Joseph, e durante a leitura percebi que nós tínhamos ficado fracos. Antigamente os magos eram importantes, usavam o poder para algo diferente de manter as pessoas a salvo dos elementais. Logo você vai estar morto, Callum. E então todo mundo terá de reconhecer que eu sou o maior mago de qualquer geração, aquele que derrotou o Inimigo da Morte.

— Você não me derrotou — disse Call. — Foi o Magisterium que me amarrou, não você.

— Ninguém se importa com detalhes técnicos! — gritou Alex. — Ninguém se importa com a história real. Você acha que as pessoas se importaram com o fato de que Constantine amava o irmão dele ou que a mãe dele o amava? Não, porque isso é uma chatice. E não vão se importar com a facilidade com que o Magisterium permitiu que matassem você, também. Só vão se importar em saber que fui eu que fiz isso.

— Mas não Tamara, certo? — perguntou Kimiya. — Ela é minha irmã.

Alex hesitou.

— Ela é leal ao meu inimigo, Kimiya.

— Talvez a gente possa matar os dois garotos e trancar a garota na masmorra — disse Anastasia em tom tranquilizador.

— Esse lugar tem uma masmorra? — perguntou Jasper.

— Lógico que tem — respondeu Alex rispidamente. — E não abra a boca a não ser que eu me dirija a você, deWinter. Você *deveria* ter sido leal a mim. Seu pai foi leal ao Mestre Joseph.

— Meu pai estava errado — disse Jasper baixinho.

Call ficou olhando. Achava que nunca tinha ouvido Jasper dizer isso, antes.

— Eu mandei você não falar! — gritou Alex.

— Ou então vai fazer o quê? — perguntou Jasper. — Me matar?

— Chega — disse Call. — Talvez ninguém precise morrer. Talvez a gente possa fazer algum acordo.

— Nada de acordos, Hunt — reagiu Alex. — Dessa vez você não tem nada que eu queira. Não estou interessado em trazer pessoas de volta dos mortos. Estou interessado no poder. E na vingança. — Ele riu. — Quero que vocês façam fila à minha frente — disse ele, e as estrelas pretas em seus olhos reluziam como furos de alfinete. — Primeiro Tamara. Depois Jasper. Depois você, Call. Vou matar vocês nessa ordem, para que você veja seus amigos morrendo, Makar.

— Você disse que não iria machucar Tamara! — berrou Kimiya.

— Mudei de ideia.

Alex levantou a mão. Ela estava brilhando com luz escura, um halo de obscuridade em volta dos dedos.

Kimiya saltou para longe dele, pegando a caixa de fósforos com as mãos trêmulas.

Alex girou na direção dela, com fumaça envolvendo as mãos. Call se virou para olhar Tamara e Jasper, ambos pálidos, mas eles balançaram a cabeça como se dissessem: *Ainda não.*

— O que você está fazendo? — perguntou Alex a Kimiya.

— Eu só estava...

Kimiya pareceu ficar sem palavras. Recuou para longe de Alex que se aproximava dela, obviamente aterrorizada. A caixa de fósforos caiu das suas mãos.

— Você vai mesmo me trair? — perguntou Alex. — A mim? Que ia salvar você de toda a sua velha vida tediosa?

— Não foi assim que você disse que iria ser — disse Kimiya. — Você nunca disse que ia machucar as pessoas.

— Então você conspirou contra mim? Com esses fracassados?

Alex balançou a cabeça. Em seguida levantou a mão e um relâmpago de caos cresceu a partir da palma; Tamara voou para cima dele, abandonando o fingimento de que estava com as mãos atadas. Ele girou o braço com a força do caos, jogando-a de lado, e as mãos de Call também se separaram à medida que foi tomado pela fúria. Como Alex ousava tocar em Tamara? Como ousava ameaçar seus amigos?

Ainda estava invocando o caos dentro de si quando Alex soltou um raio de fogo preto... Que acertou Kimiya em cheio.

No mesmo momento o caos explodiu da mão de Call. As duas confluências de luz escura se encontraram no ar, mas nenhuma se dissolveu. Chocaram-se e ricochetearam na parede da torre, explodindo a pedra e transformando-a em pó.

— Uau — disse Jasper.

Call concordou. O caos tinha atravessado pedra, metal e vidro, e agora havia um buraco do tamanho de um caminhão na parede da torre. Do outro lado do buraco Call podia ver o campo. A parede de fogo do caos se esvaía, mas os magos ainda não podiam atravessá-la. Muitos deles olhavam boquiabertos para a torre, alguns apontando.

Então a cara imensa e metálica de Automotones preencheu aquele espaço. Kimiya gritou. Tamara estendeu a mão para a irmã e a puxou para o chão. A bolota de carvalho rolou de sua mão. Jasper derrubou a garrafa, espalhando água em toda parte. Call tirou o apito do bolso, segurando-o com força.

Anastasia se abaixou e pegou a caixa de fósforos.

Alex se virou para Call, com o sorriso grudado na cara.

— Ah, então vocês acharam que iam lutar contra mim! Foi por isso que vieram voluntariamente. O Magisterium e a Assembleia vão pagar por ter aprontado contra mim, mas vocês vão pagar primeiro.

— Vou? — perguntou Call.

— Eu sou o caos! — gritou Alex. — Eu me tornei o vazio!

— Ah, cala a boca — disse Call. — Ninguém está interessado.

Alex o encarou boquiaberto. Call não pôde evitar. Tinha começado a rir. Porque atrás de Alex, Alastair estava girando, o ar se amalgamando para formar sua figura gigantesca. Devastação latiu enquanto Lucas se erguia da poça d'água no chão, reluzindo e prateado. E da bolota de carvalho de Tamara, que fora esmagada, Greta emergiu, um rio de pó e terra erguendo-se no ar.

— O que é isso? — Alex girou e olhou para aquilo com incredulidade, levantando a mão de novo. — *Devorados*. Mas por que estão aqui? *Por que vocês estão aqui?*

— Anastasia — gritou Call. — Acenda um fósforo!

Os olhos claros dela se viraram para ele, com a expressão estranha.

Mãe. Você deveria dizer "Mãe", lembrou Aaron, mas era tarde demais. Call não tinha feito isso, e agora ela sabia que ele estivera mentindo.

Tudo ia dar errado.

Anastasia deu um passo na direção de Call, o olhar relampejando. Um borrão cinza voou entre eles — era Devastação, que cravou as mandíbulas no pulso dela. A mulher gritou e largou os fósforos. Alex lançou outro relâmpago de caos contra Devastação, mas o lobo saltou e o fogo preto se chocou contra a parede da torre. Mais pedras desmoronaram.

— Você está me fazendo arruinar minha torre! — gritou Alex para Call. — Você sempre destrói tudo!

Call não podia negar. Mais do que ser um Makar, esse era praticamente o seu superpoder.

Kimiya estava com os fósforos de novo. Com as mãos trêmulas ela pegou um e o riscou. Ele pegou fogo e logo Ravan estava presente, chamejando.

Ela olhou para as irmãs e um sorriso malicioso cresceu em seu rosto.

— Preparem-se — disse Call baixinho.

Prontos, respondeu Aaron.

— O que vocês estão fazendo? — gritou Alex enquanto os Devorados corriam para ele.

E de repente foi como se o mundo desmoronasse sobre si mesmo. Cada elemento colidindo com o caos: a força do ar, o calor intenso do fogo, o caráter implacável da água, o peso enorme da terra. Todos caíram sobre Alex com a força destrutiva de mil tornados rasgando campos, mil vulcões explodindo com uma intensidade que escurecia o céu, mil terremotos corcoveando e rasgando cidades e mil inundações carregando populações inteiras num turbilhão de água. Eles eram humanos, mas não eram humanos; Call protegeu o rosto com a mão enquanto os Devorados rasgavam violentamente o caos que envolvia Alex, enquanto arrancavam pedaços com as mãos, retalhos oleosos de nada que se dissolviam completamente no ar.

Alex soltou um enorme berro de agonia que fez um relâmpago de medo atravessar Call. E se eles o matassem? E se destruíssem seu corpo?

Esse não era o plano.

Automotones inclinou a cabeça para trás e berrou, depois virou as mandíbulas na direção de Jasper. Ele girou nos calcanhares e lançou fogo contra Automotones, sucessivas explosões de chamas que fizeram o monstro de metal recuar girando, suas placas e engrenagens reluzindo vermelhas de calor.

É bom ver Jasper finalmente pegando o jeito com o fogo, disse Aaron.

Automotones cambaleou na direção deles outra vez. O fogo preto do caos tinha morrido lá fora e os magos corriam para a torre, batendo na porta fechada. A torre tremeu.

Alex ainda estava gritando. Ele inclinou a cabeça para trás com um uivo e a escuridão irrompeu de seus olhos — duas longas trilhas obscuras que saltaram no ar. Kimiya gritava feito louca. Tamara estava de pé, criando um escudo de ar para protegê-la.

Alex virou a cabeça de lado. Estava cercado pelos Devorados. Lágrimas pretas escorriam de seus olhos. Ele estendeu a mão.

— Mãe — grasnou. — *Mãe*.

Anastasia cambaleou para longe dele. Seu rosto era uma máscara de horror. O rosto de Alex se retorceu e um último raio de caos disparou de sua mão. Foi fraco — Call pôde sentir —, mas tinha força suficiente. O raio acertou Anastasia no peito, levantando-a do chão e largando-a com um buraco preto aberto onde tocara.

Alex ficou frouxo.

Agora, disse Aaron.

Call invocou tudo que tinha aprendido sobre a torneira da alma e mandou sua concentração girando na direção de Alex. Podia *ver* a alma de Alex, a luz que vinha dela, não mais escurecida pelo caos. Sentiu-a, quase como se a segurasse nas mãos, pulsando e soltando fagulhas, envolvida com cordas de ódio, ambição e dor. Call podia ver o garoto que antes gostava de ser popular, que gostava de ser o assistente do Mestre Rufus, mas que nunca achou isso suficiente. Viu o garoto que tinha criado ilusões elaboradas a partir de filmes, colocando neles seus amigos e ele próprio, sempre ele — como o vitorioso, a pessoa que no final ganhava tudo. Call viu a parte de Alex que tinha se sentido abandonada com a morte do pai, trocada por uma mulher que tinha objetivos próprios, uma obsessão própria. Viu a ambição de Alex crescer, florescer e se deturpar. Viu o ódio dele contra Call, o ressentimento, o desejo de ser o vencedor. Viu tudo isso, viu a alma de Alex, inteira, humana e com defeitos.

Com toda a força Call se firmou — e tentou arrancá-la do corpo de Alex.

Sentiu um eco terrível ao fazer isso. O corpo em que ele vivia era roubado, e agora ele estava roubando outro. Mas, mesmo fraco, Alex era um Makar e lutou contra isso. Fez força também, firmando-se contra a consciência de Call, forçando o corpo físico de Call a ficar de joelhos.

Você nunca vai me derrotar, declarou a voz de Alex, ecoando na cabeça de Call. Por um momento Call se sentiu desenraizado, à deriva. E se fosse mais difícil permanecer em seu corpo, já que não tinha nascido nele? E se não conseguisse se segurar quando Aaron o deixasse para trás? O pânico começou a brotar em seu peito. O peso de Alex empurrando de volta o lançou contra o chão, os cotovelos firmados, os ombros fazendo força.

Não posso fazer isso, pensou. *Não posso.*

Talvez um de nós não possa, mas nós dois vamos fazer, disse a voz de Aaron, segura e forte. Ele juntou os pensamentos aos de Call e, unidos, os dois se lançaram de volta contra Alex, soltando-o das linhas brilhantes que ancoravam sua alma ao corpo, empurrando-o para fora. Empurrando-o para o nada.

As cordas que prendiam a alma de Alex ao corpo se esgarçaram e se partiram, e ele foi embora sem emitir ao menos um grito. Call não sabia para onde as almas iam — achou que ninguém sabia —, mas tinha certeza de que para algum lugar muito além do vazio.

Aaron, pensou Call. *Aaron, você precisa ir.*

Então foi como se sentisse a alma de Aaron hesitante, nervosa. Call estendeu o pensamento para Aaron uma última vez: para seu contrapeso, para aquela alma que era a mais familiar do mundo além de sua própria. Era como se suas mãos roçassem a alma de Aaron, segurando-a por um momento e depois libertando-a.

O corpo de Alex se sacudiu uma vez e ele respirou ofegante.

Aaron, pensou Call. *Deu certo?*

Mas não houve resposta. Só existia um silêncio cheio de ecos dentro da cabeça de Call. Ele estava sozinho. Não tinha percebido como estava desacostumado a ficar realmente sem companhia na própria cabeça.

Os sons chegaram com um estrondo quando Call percebeu que a batalha continuava. O dragão do caos tinha comido outra parte da torre. Dezenas de magos tinham voado para o segundo andar, ajudados por Alastair e o poder do ar, e estavam se juntando a

Jasper e Tamara na luta contra Automotones. Greta, Lucas e Ravan também tinham se juntado: Greta estava jogando pedras contra os elementais do caos, Lucas direcionava jatos de água superaquecida contra eles e Ravan atirava relâmpagos de fogo.

Dentro da torre, Kimiya estava com Anastasia no colo e parecia que tentava impedir que ela morresse.

Call cambaleou, ficando de pé.

— A... Alex?

Alex abriu os olhos. Kimiya ofegou: eles tinham voltado a ser azuis, não mais pretos e cheios de estrelas. Tossindo violentamente e parecendo atordoado, Alex ficou de joelhos.

Os gestos pareciam familiares. Ele não se movia como Alex. Movia-se como Aaron. Tinha os gestos dele. O coração de Call batia na garganta. Estaria imaginando ou será que o plano dos dois havia dado certo?

O Mestre Rufus subiu correndo a escada e entrou intempestivamente no salão; atrás dele vinham o Mestre North e a Mestra Milagros. Olhavam a cena à frente: Anastasia morrendo, os Devorados ainda pairando no salão que tinha enormes pedaços das paredes arrancados.

E Alex no meio daquilo tudo.

— Alex! — gritou Call. — Alex, impeça as criaturas do caos. Mostre a elas que você está do nosso lado.

— Parem — gritou Alex, numa voz que era ao mesmo tempo como a sua voz de sempre e diferente. — Parem, todas vocês, criaturas do caos! Eu *ordeno* que parem!

O dragão interrompeu os movimentos bruscamente. Automotones rugiu. Fora da torre houve mais sons ecoantes enquanto as criaturas do caos o ouviam.

— Voltem para o caos! — gritou Alex. — Voltem ao lugar de onde vocês vieram!

Mais Mestres estavam se apinhando atrás de North, Rufus e Milagros. Todos olhavam para Alex, que estava de pé com as mãos estendidas, ordenando que as criaturas do caos se dispersassem.

— Elas estão indo — disse Milagros, pasma. — Olhem!

Através do buraco aberto na parede Call viu as criaturas do caos darem meia-volta e recuar, com Automotones à frente. Enquanto se afastavam, pareciam tremeluzir e desvanecer, deixando apenas manchas de escuridão que pairavam como fumaça no céu.

Os magos do Magisterium comemoravam. Ravan, Lucas, Greta e Alastair tinham desaparecido, provavelmente preocupados, achando que não seriam particularmente bem-vindos agora que o perigo imediato acabara.

— Call. Venha cá — chamou Kimiya, ansiosa.

Tamara estava ajoelhada ao seu lado, invocando magia da terra para curar Anastasia.

Call não tentou impedi-la. Nada iria ajudar Anastasia naquele momento. Ela sorriu para ele e havia sangue em seus dentes.

— Con — sussurrou ela.

Tamara mordeu o lábio, com um vermelho surgindo nas bochechas. Ela sempre odiava quando Anastasia chamava Callum pelo nome de Constantine Madden.

— Con — repetiu Anastasia. — Sei o que você fez. Eu sei.

Ele estendeu a mão e tocou a dela, porque nunca pretendera que ela se machucasse. Nunca pretendera que ninguém se machucasse.

— Sinto muito — disse. — Sinto muito, de verdade.

— Às vezes você não se parece nem um pouco com o meu filho, nem um pouco — disse ela, depois levantou a voz. — Magos do Magisterium, tenho uma última confissão!

Alex se agachara novamente.

— Era eu que controlava Alex — continuou Anastasia, e todos os magos no salão ficaram sem fôlego e silenciosos, ouvindo. — Era eu que controlava tudo: não era o Mestre Joseph, nem Constantine Madden. Era eu. Eles sempre foram meus peões. Vocês todos eram meus peões.

— Como? — perguntou o Mestre North. — Como você fez isso?

— Eu aprendi com o melhor. Meu filho Constantine, o Inimigo da Morte. Ele manteve Jericho sob controle durante anos, obrigando-o a ser seu contrapeso e a entregar pedaços de sua própria alma. Quando Alex se tornou meu filho adotivo, comecei a controlá-lo. A princípio eram coisas pequenas. Mais tarde fiz dele totalmente obediente ao Mestre Joseph. Ele não tinha escolha, a não ser obedecer. — Ela tossiu e o sangue espirrou em sua roupa branca. — Façam o que quiserem com ele. Não me importa. Eu nunca o amei.

— Então por que está contando isso? — perguntou o Mestre Rufus.

— Eu quero ficar com o crédito — grasnou Anastasia. — Fui eu que o tornei um Devorado, fui eu que fiz com que essa torre fosse construída. O Magisterium tirou meu filho, mas no fim isso serviu a mim e aos meus desejos. — Ela olhou para Call. Ele se obrigou a sorrir, e algo no rosto dela relaxou. — Vocês não podem mais me machucar — disse num sussurro e seus olhos se fecharam. A cabeça tombou de lado.

Tamara soltou um grito. Gwenda correra pelo salão indo até Jasper e ele a abraçou, sério.

Alex olhava para ela com o rosto pálido.

— O que eu fiz? — perguntou, e isso parecia uma pergunta perfeitamente adequada, vinda de um lugar no fundo dele. Alex olhou para os magos, para o Mestre Rufus. — Vocês deveriam me prender. Alguém deveria me prender.

— Esperem! — disse Call. — Vocês ouviram Anastasia. Ela o obrigou a fazer todas aquelas coisas. Ela o obrigou a se tornar Devorado do Caos. Vocês concordaram em perdoá-lo.

— Nós concordamos em entrevistá-lo — disse o Mestre North. — Pelo menos Graves concordou. E graças a ele, Graves está morto.

Alex baixou a cabeça. *Aaron*, pensou Call. *Aaron, olhe para mim.*

Mas ele não olhou. E Call não sabia se deveria pensar nele como Alex ou Aaron, não sabia se a alma de Aaron estava intacta dentro daquele corpo ou se Aaron estava em agonia, esmagado pela culpa, pelo horror ou por um milhão de outras coisas. Ou talvez a alma dele tivesse sido despedaçada — talvez agora ele não fosse ninguém, nem Alex nem Aaron.

E então Call notou Devastação. O lobo tinha ido para perto de Alex e estava focinhando gentilmente a mão dele, como fazia antigamente com Aaron. E, distraidamente, Alex — Aaron, tinha de ser Aaron — acariciou a cabeça do lobo.

Call viu o Mestre Rufus espiando o lobo com os olhos estreitados. Antes que ele pudesse dizer alguma coisa, o Sr. e a Sra. Rajavi subiram correndo a escadas e entraram na sala para abraçar Tamara e Kimiya.

— Vocês conseguiram, queridas — disse a Sra. Rajavi, beijando as duas. — São minhas heroínas. Tenho muito orgulho de vocês.

Em particular, Call pensou que Tamara merecia todo o crédito, mas ficou quieto.

Alastair apareceu num redemoinho de ar, assustando a todos.

— Os outros foram embora — disse ele. — Parece que finalmente acabou.

— Vai acabar assim que eles deixarem Alex livre — insistiu Call, e seu pai lhe deu um olhar muito confuso.

Aaron (porque Call tinha certeza de que Alex era Aaron, certeza absoluta, só que realmente desejava que Aaron dissesse alguma coisa para confirmar) não falou nada.

— Chega — disse o Mestre Rufus. — Vamos sair dessa torre. Não fará mal a ninguém se contivermos... Alex. Vamos manter as mãos dele atadas até ele ser julgado diante da Assembleia.

— Vamos levar o corpo de Anastasia para o Collegium, e prepará-lo para o enterro — disse o Mestre Cameron, um dos magos que Call reconheceu de sua breve visita ao Collegium durante o Ano de Bronze.

Rufus assentiu. Estava nítido que agora todos olhavam para ele como antes olhavam para Graves.

— Assim que tivermos certeza de que ninguém mais está muito ferido, decidiremos o que fazer com Alex.

— Por que você está agindo como se estivesse no comando? — perguntou o Mestre North, que não parecia ter entendido o recado.

— Eu recebi o pedido de entrar para a Assembleia e concordei. Durante muito tempo desejei ficar longe do mundo dos magos. Não é fácil ter ganhado fama por ter sido tutor de um dos nossos grandes inimigos. Mas desta vez eu disse sim. — O mestre Rufus pareceu sério. — Agora podemos levar esses alunos para algum lugar seguro? Eles arriscaram o suficiente por nós.

Call tentou dizer alguma coisa a Aaron, mas o Mestre North já o estava levitando no ar. Tamara também estendeu a mão para Aaron, mas ele passou sem reagir. Os olhares de Call e Tamara se encontraram, ambos com a mesma pergunta.

Aaron estava ali? E, em caso positivo, estaria bem?

CAPÍTULO DEZESSEIS

A viagem de volta ao Magisterium foi um borrão. Call foi levado rapidamente para a Enfermaria, depois enrolado em cobertores pela Mestra Amaranth. Tamara e Jasper foram enrolados em outros cobertores ao lado dele. Chegou a notícia de que Anastasia tinha sido declarada morta, coisa que Call já sabia. Mesmo assim as palavras eram duras.

Gwenda abraçou todos eles. Trouxe Rafe e Kai, que abraçaram Jasper e fizeram *high-fives* com Tamara e Call. Informaram que a escola estava comemorando e que todo mundo estava agindo como se nunca tivesse suspeitado de Call. Já que Kai e Rafe agiam também como se eles mesmos nunca tivessem suspeitado de Call, ele acreditou.

Alastair disse que ele, Greta, Lucas e Ravan estavam indo embora antes que acabassem trancafiados junto com Alex. Tinha, no entanto, recebido a promessa do Mestre Rufus de que na próxima reunião discutiriam a criação de um sistema melhor para lidar com os Devorados, mas que até lá deveriam ficar longe.

— Verei você quando tiver se formado — prometeu Alastair a Call. — Não se preocupe comigo. Preciso voltar para casa e garantir que todas as minhas coisas sejam bem-cuidadas.

Os dois fizeram uma pausa, sem jeito, por um momento. Alastair tocou o rosto de Call. O gesto pareceu um sopro de ar.

— Eu sinto muito — disse Call bruscamente. — Isso tudo aconteceu por minha causa. Por minha causa você é um Devorado do ar e nunca mais vai consertar carros nem ir ao cinema.

— Eu vou ao cinema. — A voz de Alastair soou gentil. — Vou ficar nos fundos. Não vou precisar pagar para entrar!

— Você entendeu.

— Escute, Call. Durante toda a vida eu quis ser capaz de fazer mais. Mais para derrotar o Inimigo da Morte. Para vingar Sarah. E percebi que agora esse sentimento passou, como se eu finalmente o tivesse posto para dormir. Finalmente pude fazer o suficiente.

— Destruindo Alex? — perguntou Call.

— Criando você. Você é uma pessoa boa, Call, é um guerreiro. E um tremendo mago. — Seus olhos brilharam. — Não consigo nem explicar o quanto isso valeu a pena.

Call sentiu o coração se animar. Quase perguntou a Alastair quando iriam para casa juntos, mas a Mestra Amaranth estava olhando para eles carrancuda. Alastair piscou e desapareceu.

Call suspirou.

— Mestra Amaranth? Será que eu poderia ir descansar no meu quarto? Não estou com dor, mas estou cansado demais.

A Mestra Amaranth o olhou com suspeita. Ele supôs que ela já tivera um monte de gente tentando entrar ou sair dos seus cuidados. Sua cobra, enrolada nos ombros como uma estola, reluzia entre azul-celeste e amarelo.

— Se você realmente acha que deve, Callum. Se ficar tonto ou parecendo que vai desmaiar, volte imediatamente.

— Posso ir com ele? — perguntou Tamara, levantando-se e afastando o cobertor.

A Mestra Amaranth levantou as mãos.

— Acho que sim. Afinal de contas, quem sou eu para retardar os heróis do Magisterium com uma coisa insignificante como garantir que eles estejam bem?

Jasper também parecia a ponto de pedir para ir embora, até que Gwenda entrou na Enfermaria e abraçou todos eles. Então, de repente, ele pareceu sentir uma dor na perna que exigiu que Gwenda se sentasse na sua cama e dissesse como ele tinha sido corajoso.

Call escapou para o corredor, com Tamara atrás.

— Vamos ver o Aaron, não é? — perguntou ela.

Ele confirmou.

— Se conseguirmos descer. Não temos mais a chave.

— Warren levou a gente até lá uma vez — disse Tamara, e começou a chamar o pequeno lagarto. — Waaaaaarrrrrrren, cadê você? O tempo acabou. Nós conseguimos. Acabou. Mas precisamos da sua ajuda uma última vez.

Uma língua saltou do teto, acertando Tamara no nariz e fazendo com que ela o esfregasse com força, gritando:

— Que nojo! Isso é nojento, Warren.

O lagarto elemental soltou um chiado que poderia ser uma gargalhada. Depois desceu do teto e a cada movimento ia ficando maior. As pedras preciosas em suas costas brilhavam com uma luz feroz enquanto ele crescia e crescia. Quando terminou, estava maior do que Devastação, com a boca cheia de dentes que eram pedras preciosas.

— Uh — disse Call. — Epa. Não sabia que você podia fazer isso. Por que eu não sabia que você podia fazer isso?

— No seu passado está o seu futuro — respondeu Warren. — E no seu futuro está o seu passado.

Call suspirou, percebendo que não havia chance de Warren, independentemente do tamanho, dar uma resposta honesta.

— Você pode levar a gente pelo caminho secreto até onde Aa... digo, *Alex*, está preso?

— Outro segredo? Sim, Warren vai guardar outro segredo. Warren vai levar vocês ao lugar. Mas vocês vão dever a Warren, e um dia Warren vai pedir alguma coisa também.

— Achei que salvar o mundo era o que já tínhamos feito em troca — disse Tamara, irritada.

Ignorando-a, Warren partiu. Na verdade era mais fácil acompanhar sua versão maior. Ele ainda era capaz de subir pelo teto, o que deixou Call meio nervoso. E se aquela coisa enorme caísse em cima dele?

Passaram pela entrada secreta até a prisão dos elementais, pela câmara de fogo e depois pela do ar, onde estranhos elementais chiavam dentro de jaulas de cristal transparente que fizeram Call se lembrar do tempo passado no Panopticon.

Viram Aaron facilmente, sentado no chão de uma pequena cela.

Diante dela, o Mestre Rufus andava de um lado para o outro.

— Daqui a alguns minutos vamos à reunião da Assembleia — disse ele. — Mas primeiro quero que você me diga o que está acontecendo.

Aaron olhou para a parede. Era chocante como, para Call, agora ele se parecia com Aaron, e não com Alex. Como se a forma de seu rosto tivesse mudado sutilmente. Call sabia que ele jamais responderia ao Mestre Rufus, já que a resposta poderia deixar Call e Tamara encrencados.

— Como assim, o que está acontecendo? — perguntou Call. — O senhor ouviu o que Anastasia disse. Alex estava dominado por ela. Agora está livre.

As sobrancelhas expressivas de Rufus subiram.

— E exatamente o que vocês estão fazendo aqui? Em um lugar onde não deveriam estar. Tenho certeza de que isso também não é mistério.

— Ah... — disse Call.

Sem Aaron dentro de sua mente era muito mais difícil bolar o tipo de resposta das quais os professores gostavam.

Rufus balançou a cabeça.

— Seja qual for a resposta, eu não acredito — disse ele diretamente. — Controlar alguém é uma magia poderosa, do tipo que exige supervisão constante. Mas Anastasia raramente visitava o Magisterium.

— Ela esteve aqui durante o Ano de Bronze — explicou Tamara. — Foi quando Alex começou a ficar maligno.

— Mesmo que ele estivesse sendo controlado — disse Rufus —, mesmo que a morte dela o tenha libertado, ele ainda seria Alex Strike. Mas Devastação se aproximou dele e o tratou como se ele fosse um de vocês. Alguém que ele conhecia e amava.

Na jaula, Aaron balançou a cabeça muito ligeiramente. Call desejou ainda ser capaz de ler a mente dele e saber o que ele tentava comunicar.

— Quando você disse que queria dar uma segunda chance ao Alex, eu me perguntei o que você estaria pensando — disse Rufus. — Sabia que você jamais perdoaria Alex por ter matado Aaron. Mas você insistiu em que ele vivesse. E aqui ele está, parecendo incólume. E parecendo não ser mais Alex.

Tamara engoliu em seco e sussurrou:

— Como assim?

— Acho que vocês estão entendendo o que eu quero dizer. Mas quero que *vocês* digam. Mas antes vou deixar uma coisa explícita: a reunião da Assembleia que determinará o destino de Alex está para começar. Se vocês não me disserem a verdade, vou me opor à liberdade dele de todos os modos possíveis. Se contarem agora, eu *posso* ajudá-los.

— Não é uma proposta fantástica — disse Call.

O Mestre Rufus cruzou os braços.

— É a única que você vai receber.

— Ótimo — suspirou Call, jogando fora toda a cautela. — Esse aí não é o Alex. É o Aaron.

Aaron olhou para o chão. O Mestre Rufus não pareceu surpreso.

— Aaron não morreu no campo de batalha.

— A alma dele entrou em mim — respondeu Call. — Eu estava carregando ele dentro da cabeça esse tempo todo, mas nós sabíamos que ele precisava de um corpo. E Alex matou Aaron! *Assassinou*, sem motivo! Era justo que fosse ele quem desse um corpo e a vida de volta a Aaron.

— E você sabia disso, Tamara? — perguntou Rufus.

Tamara segurou a mão de Call. Mesmo na tensão do momento Call notou o calor dos dedos dela; seu toque lhe deu confiança e ele endireitou um pouco mais a postura.

— Eu sabia de tudo — respondeu ela. — Concordei em proteger Call *e* Aaron. Se Aaron não tivesse tomado o corpo do Alex, Alex não iria parar até que Call estivesse morto. E machucaria muito mais pessoas. O senhor viu o que ele fez com Graves. Agora uma pessoa boa está viva graças ao que fizemos.

— Distribuindo vida e morte como se fossem pequenos deuses — disse o Mestre Rufus. — O que eu ensinei a vocês? O que há nos meus métodos que encoraja meus alunos a tamanhas demonstrações de arrogância? — Essa última parte saiu em voz muito mais alta do que Rufus costumava falar com eles, mesmo quando estava desapontado.

Call ficou pasmo, mas foi Aaron que falou:

— Não foi culpa sua. Ou acho que, se foi, é porque o senhor vive escolhendo Makars.

Rufus lhe deu um olhar demorado.

— Continue, Sr. Stewart.

Aaron suspirou.

— A magia do caos é diferente. Aposto que existe um monte de garotos no Magisterium que usariam a própria magia para todo tipo de coisas esquisitas. Falsificar e vender pedras preciosas, enfeitiçar coisas mágicas para fazer com que pessoas não mágicas pulem num pé só ou sei lá o que, mostrar filmes com finais modificados. É esse o resultado de testar os limites da magia comum. Mas testar os limites da magia do caos resulta... nisso.

— Você está falando como você mesmo, Aaron — declarou Rufus. — Se eu não estivesse com tanta raiva ficaria pasmo.

— Não queremos mais encrenca — disse Call. — Eu não queria *nenhuma* encrenca. Nem queria estudar aqui, se é que o senhor lembra.

Rufus parecia a ponto de questionar isso, mas Call o interrompeu:

— Eu não estava certo quanto a isso, mas o que estou tentando dizer é que nós não vamos mais brincar com a vida e a morte, nem nada assim. Vamos para o Collegium e não vamos mais nos meter em encrencas.

— Muito bem — disse o Mestre Rufus. — Vou pensar nisso e tomar minha decisão na reunião da Assembleia. — Ele balançou uma das mãos e a parede transparente que mantinha Aaron trancado sumiu. — Mesmo que não possa dizer toda a verdade — aconselhou a Aaron — fale com o coração.

Tamara abraçou Aaron com força.

— Estou tão feliz que você esteja de volta!

Call sentiu um tremor de ciúme familiar, mas empurrou o sentimento para longe, simplesmente feliz por ter o amigo de volta no mundo. Aaron foi até Call e o abraçou com a mesma força com que Tamara e ele tinham se abraçado.

— Obrigado — disse em voz baixa. — Por tudo. Pela minha vida. Você é meu contrapeso, meu equilíbrio. Sempre vai ser.

— Venha. — O Mestre Rufus guiou Aaron para que andasse à sua frente. Com um movimento dos pulsos de Rufus, Aaron estava amarrado. — Mas estamos atrasados para a reunião da Assembleia.

Call e Tamara acompanharam o Mestre Rufus, saindo dos corredores dos elementais e passando por algumas câmaras cheias de ecos, até chegarem ao grande salão que a Assembleia tinha usado.

A mesma mesa estava ali e dessa vez Aaron foi posto no centro. Ficou de pé, com todo mundo encarando-o. Call se lembrou de como era a sensação.

— Alex Strike — começou a Sra. Rajavi, e Call escutou a raiva na voz dela. — Você assassinou um dos nossos membros à nossa frente. Você é responsável por muitas outras mortes e muitas dores de cabeça. No entanto, alega que estava sob influência de Anastasia Tarquin. Você tem alguma prova disso?

— Ela confessou — respondeu Aaron. — Tudo que fiz foi sob a influência dela.

— Você se lembra de ter sido controlado? — perguntou o Mestre North, sentado no lugar antes ocupado por Graves. — Lembra-se do que você fez?

Aaron balançou a cabeça.

— Não tenho nenhuma lembrança de ter sido um Devorado do Caos — respondeu. O que era verdade, supôs Call. — Nem de trair o Magisterium. Sou leal ao Magisterium e odeio o Mestre Joseph. — Ele falou isso com um veneno que seria difícil fingir.

— Você compreende que não é fácil acreditar nisso, certo? — disse a Mestra Milagros, mas sua voz estava mais suave. — Todos nós vimos você queimar a floresta em volta do Magisterium. Vimos você torturar crianças e assassinar o Mestre Rockmaple.

— Foi Anastasia.

Aaron parecia mais nervoso, provavelmente porque agora *estava* mentindo, o que sempre o deixava desconfortável. Não tinha sido Anastasia, tinha sido Alex.

Agora os dois estão mortos, pensou Call, com o máximo de força que pôde. Pela primeira vez sentiu falta de sua comunicação telepática com Aaron. *Você não está machucando nenhum dos dois. Não importa o que pensem sobre eles, só importa que você esteja bem.*

— Por que ela fez tudo isso? — perguntou o Mestre Rufus. Sua expressão era impossível de ser decifrada. — Por que usar você para derrubar a escola, a Assembleia?

— Ela culpava e odiava todos os magos pela morte dos filhos — respondeu Aaron. — A princípio eu achei que seria um novo filho para ela, mas na verdade fui só um brinquedinho. Ela havia aprendido algumas coisas com os livros de Constantine. Conseguiu segurar um pequeno pedaço da minha alma e tomar o controle dela, do mesmo modo como a Ordem da Desordem controla os animais da floresta. Quando todo mundo ficou sabendo sobre Aaron, ela agiu. Assumiu o controle e me fez assassiná-lo e tomar seus poderes de Makar. Depois disso não me lembro de mais nada.

Tamara bateu com o ombro no de Call.

— Isso foi bastante bom — sussurrou. *Uma mentira bastante boa*, foi o que ela quis dizer.

Murmúrios percorreram o salão. Call ouviu alguém dizer:

— Ela confessou.

E:

— Mas e se ele estiver mentindo?

— E se eles estavam nisso juntos? — disse outra pessoa.

— Acho que é hora de votarmos — declarou o Mestre North. — Todos que sejam a favor de aceitar a história de Alex Strike como verdadeira e que queiram permitir sua volta ao Magisterium levantem a mão.

Call sabia que ele e Tamara não podiam votar. Tamara estava olhando para seus pais num pedido mudo: depois de um longo tempo os dois levantaram as mãos. Pareceu a Call que muitas pessoas tinham votado a favor de Aaron, mas, para seu horror, viu que a mão do Mestre Rufus estava abaixada. Aaron olhou para seu Mestre, pálido de choque.

— Certo — disse o Mestre North, fazendo uma anotação. — Agora, todos que sejam a favor de mandar Alex Strike para o Panopticon levantem a mão.

Um número igualmente grande de mãos se levantou, dentre elas a da Mestra Milagros. Mas o Mestre Rufus continuou com as mãos sobre a mesa.

— Rufus? — perguntou North, parando com uma caneta na mão.

— Eu me abstenho — disse Rufus em um tom de voz seco como cascalho.

O Mestre North deu de ombros.

— Então está empatado — disse. — Rufus, você precisa votar. Precisamos de um desempate.

— Ele precisa — sussurrou Tamara. — Ele *precisa* votar a favor... a favor *dele*.

Tamara olhou para Aaron. Call mal conseguia permanecer sentado. Suas unhas estavam cravadas com tanta força nas palmas das mãos que doía.

O Mestre Rufus se levantou.

— Há uma coisa que pode determinar a verdade — disse ele. — Em vez de um voto dado apenas pela intuição, eu gostaria de ver Alexander Strike e Callum Hunt passarem pelo Quinto Portão.

O salão explodiu em balbúrdia. O Mestre Rufus permaneceu inexpressivo, como uma pedra no meio de um rio turbulento.

— Call é meu aprendiz — continuou Rufus. — Alex era meu assistente. Posso dizer que os dois estão prontos para isso. O Quinto Portão, o Portão de Ouro, tem a ver com fazer boas obras no mundo, com pretender fazer o bem genuinamente. Se o portão permitir que passem, é sinal de que aprenderam essa lição. Notem que Constantine jamais passou por esse portão; ele saiu da escola antes que pudessem pedir que o fizesse. Se Alex conseguir cruzar para o ouro lado, acredito que devamos aceitar que qualquer coisa que ele tenha sido obrigado a fazer foi por circunstâncias adversas, mas que, na verdade, ele tem coração puro.

Os magos se acalmaram ouvindo Rufus falar. Quando ele terminou houve um longo silêncio.

— Muito bem — disse, enfim, o Mestre North. — Eu gostaria muito de ver esses dois serem testados pelo portão. Na alquimia o ouro é considerado o metal mais puro, portanto o Portão de Ouro testará a pureza do coração de vocês. Se fracassarem, meus filhos, vocês serão aprisionados para sempre. Não haverá mais chances. Voltem para seus aposentos, vistam os uniformes e se preparem.

— Se eles vão passar pelo portão — disse Tamara —, eu também vou.

— E se fracassar você vai compartilhar o destino deles? — perguntou o Mestre North.

O Mestre Rufus não pareceu satisfeito.

— Não — respondeu a Sra. Rajavi, levantando-se. — Evidente que não. Ninguém duvida de que Tamara vem agindo a favor do Magisterium e do mundo dos magos. O destino dela não está sendo questionado.

O Sr. Rajavi se levantou junto com a esposa.

— Deixem nossa filha fora disso.

— Eu libertei Call da prisão. Acredito em Alex — disse Tamara aos magos. — Acredito o suficiente para compartilhar do destino deles. Vou passar com eles. E se o portão me rejeitar, não mereço nada diferente do que eles receberem.

— Tamara... — começou Call.

Ele acreditava que ela conseguiria passar pelo portão, mas não gostava nem da mais remota ideia de ela e o Panopticon se aproximarem.

— Muito bem — disse o Mestre North, interrompendo Call. — Vão se preparar. Encontro vocês três no Hall dos Graduados.

Enquanto voltava ao alojamento, Call sentia o corpo inteiro tremer com uma tensão liberada pela metade. Tamara deu a mão para ele. Aaron estava arfando, como se lutasse contra um ataque de pânico.

— Acho que conseguimos — disse Call finalmente, enquanto entravam no alojamento. — Só precisamos passar pelo portão final. Teremos completado o Magisterium e evitado a prisão.

Aaron assentiu lentamente, soltando um suspiro longo e se sentando no sofá.

— Só vamos esperar que esse tal Portão de Ouro deixe a gente passar. E obrigado a vocês dois por me trazerem de volta à vida. É meio esquisito dizer isso, mas foi muito mais esquisito conseguir.

Tamara deu-lhe um soco no ombro.

— Bem-vindo de volta — disse, e ele a envolveu num abraço.

Os dois sorriram, e Call também estava sorrindo.

— Qual é a sensação? — perguntou Call. — De estar totalmente de volta?

Aaron se virou para ele e, mesmo sendo o rosto de Alex, era fácil ver sua alma brilhando.

— Como é não estar chacoalhando dentro da sua cachola, você diz? É meio estranho, como se esse corpo fosse uma roupa que ainda não se ajusta direito. Mas é legal e tranquilo. Morar na sua cabeça era como viver numa espécie de redemoinho de autorrecriminação, teimosia e ideias ridículas. — Ele se virou para Tamara. — Sério. Você tinha que ver as coisas que ele não diz em voz alta. Ele estava bolando um modo de derrotar Alex que envolvia chiclete, clipes de papel e...

— *Certo* — disse Call, interrompendo enquanto guiava Aaron para o quarto de Jasper, onde ele esperava que houvesse algum uniforme extra. — É melhor a gente se preparar. Não podemos deixar os magos esperando.

Ele e Tamara foram para seus quartos, trocar de roupa. Devastação dormia na cama de Call com as patas para cima. Call sentiu uma pontada de dor: quem cuidaria de Devastação se ele não conseguisse atravessar o portão? Passou a mão na cabeça do lobo, tentando não pensar em mais nada, e foi em direção ao armário.

Um uniforme do Ano de Ouro, de um vermelho profundo e limpo, estava pendurado ali. As roupas anteriores de Call estavam arruinadas, cobertas de lama e sangue. Num determinado ponto, as séries que cada um estava tinham começado a ficar muito pouco claras. Este não era o primeiro portão pelo qual passavam numa ocasião diferente do resto dos colegas de turma. Mas seria a última.

Trocou de roupa e foi pegar Miri, que estava em sua mesinha de cabeceira. Prendeu-a ao cinto. Estava pronto.

Só que não totalmente. Houve uma batida à porta e Tamara entrou. Também estava usando o uniforme do Ano de Ouro, as bochechas vermelhas, o cabelo preso numa trança na nuca. Call achou que ela estava linda e ficou aliviado porque, pela primeira vez, não havia ninguém em sua cabeça para zombar dele. Podia simplesmente olhar para Tamara e pensar em como gostava dela. E ainda que um dia ela não gostasse dele, e se esse dia fosse hoje, desde que ela continuasse sendo sua amiga, tudo bem.

— Vim porque queria dizer uma coisa — começou ela. — Uma coisa que não consegui falar antes.

Call ficou imediatamente alarmado.

— O quê?

— Isso — disse ela, abraçando-o e lhe dando um beijo.

Por um segundo Call se preocupou com a possibilidade de estar chocado demais para se mexer, mas não foi o caso. Ele envolveu Tamara com os braços e retribuiu o beijo. Foi como voar. Ela passou os braços em volta de seu pescoço e ele a segurou mais perto ainda num beijo incrivelmente suave e doce. Era como se estrelas e cometas explodissem no cérebro.

Ela recuou só um pouco e tinha lágrimas nos olhos.

— Pronto — disse. — Eu não podia fazer isso enquanto o Aaron estava na sua cabeça.

— Sério? Tipo, você quer dizer que... que gosta de mim? Porque eu amo você, Tamara, e quero namorar com você.

E pouco antes tinha achado bom se ela fosse apenas sua amiga, pensou Call. Algum surto de loucura, só podia ser. Ele encarou Tamara com ansiedade enquanto ela estreitava os olhos. Ah, meu

Deus, ela ia dizer não. Ia dizer que aquele beijo tinha sido apenas para colocar um ponto final na história, ou porque sentia pena dele, ou porque presumia que ele iria morrer logo.

— Também amo você — disse ela. — E realmente odeio a ideia de outra pessoa ser sua namorada, por isso acho melhor que seja eu.

Desta vez foi Call que deu o beijo, e ela ficou nas pontas dos pés para retribuir. Ainda estavam se beijando quando Devastação começou a latir. E quando eles se separaram, rindo, Devastação estava arranhando a porta do quarto de Call.

— Argh, isso quer dizer que tem alguém aí — disse Tamara, se afastando dele com relutância. — Acho melhor a gente ver se é o Mestre Rufus.

Saíram para a sala de mãos dadas. Mas não era o Mestre Rufus. Eram Gwenda e Jasper. Jasper olhou os dois de mãos dadas e levantou as sobrancelhas.

— Será a realização de um conto de fadas? — perguntou.

— Cala a boca, Jasper. — Gwenda lhe deu um soco de leve no ombro.

— É — disse Call, sem sentido.

Jasper podia tirar sarro da cara deles por se beijarem, mas naquele momento ele não sentia mais vontade de tirar sarro da cara de ninguém. Estava feliz demais e apavorado demais, uma combinação estranha.

— Pediram para a gente levar vocês até o último portão — explicou Jasper. — Os outros magos estão esperando. Só não acho justo que vocês se formem antes do tempo e eu não. Sem dúvida isso vai fazer com que seja mais provável o Collegium dar um lugar bom para vocês. — Ele suspirou. — Mas... pelo menos meu pai vai ficar bem.

Call assentiu. Não conseguia se obrigar a se sentir mal porque o pai de Jasper permaneceria preso, mas estava feliz por Jasper, porque nada a mais iria acontecer com ele.

— É mais provável que o Collegium barre a gente — disse ele, tentando animar Jasper. — Para evitar que a gente queime tudo, até os alicerces.

— É — concordou Tamara. — E as opções eram "formatura adiantada" ou "ir para a prisão, não terminar o curso e não ganhar um milhão de dólares".

Nesse momento, Aaron saiu do quarto de Jasper. Todos pararam imediatamente. Ele estava usando um uniforme que cabia direito, por isso Call supôs que não era de Jasper.

O sorriso de Aaron saiu esperançoso e cheio de nervosismo.

— Eu não era... eu mesmo. Antes. Mas agora sou. Espero que vocês possam me perdoar.

— Você agora está mesmo no Time dos Bons? — perguntou Jasper.

Aaron confirmou com a cabeça.

Jasper lhe deu um olhar longo e firme.

— Hã.

— Vamos — disse Gwenda. — Vamos descobrir se ele está numa boa.

Foram juntos pelas cavernas do Magisterium, passando por uma sala com estalagmites compridas e lama fumegante que esquentava o ar. Enfiaram-se por outra porta e chegaram ao Hall dos Graduados. Um arco que Call nunca tinha visto tremeluzia com luz dourada. As palavras em relevo *Prima Materia* brilhavam na parede acima, como se fossem iluminadas por dentro dos sulcos.

Um grupo menor tinha se reunido para testemunhar o evento. Mestre Rufus, Mestra Milagros, o Mestre North e os Rajavis.

Gwenda e Jasper murmuraram últimas palavras desejando sorte a Call e Tamara antes de atravessar a sala e ficar ao lado dos professores e os membros da Assembleia.

O Mestre Rufus estava com um sorriso tenso, que relaxou quando eles entraram.

— Tamara, Alex, Call. Vocês estão prontos para passar pelo último portão do Magisterium, o Portão do Equilíbrio. Antes seus estudos lhes permitiram passar pelo controle, a afinidade, a criação e a transformação. Há muito tempo vocês passaram pelo Primeiro Portão, o Portão do Controle, e se tornaram magos por natureza. Agora, quando passarem pelo Portão do Equilíbrio, serão não apenas magos, mas membros do mundo dos magos. Passar por ele exige que sejam capazes de pôr de lado os próprios desejos e emoções pelo bem dos outros. Se conseguem ver o portão, estão prontos para ser testados. Tamara Rajavi, você primeiro.

Com a postura ereta, Tamara caminhou até o portão. Como tinha feito com o primeiro portão pelo qual havia passado, ela ergueu a mão para tocá-lo. Então sumiu de vista.

— Agora você, Alex Strike.

— Certo — disse Aaron, parecendo nervoso.

Em seguida, enxugou as mãos nas calças. Indo até o portão, respirou fundo e passou, também desaparecendo.

Call não conseguia ver nenhum dos dois. Não sabia se eles tinham chegado ao outro lado. Só conseguia ver a expressão implacável do Mestre Rufus e os olhos dos outros magos, esperando que ele fosse julgado.

— Callum Hunt — disse o Mestre Rufus. — É a sua vez.

Call engoliu em seco e foi na direção do portão.

— Espere! — gritou uma voz. — Pare!

Call girou. Para sua surpresa, Alastair estava ali. Tinha praticamente a aparência de sempre, só que ligeiramente turvo nas bordas, e não usava mais óculos. Olhou para o Mestre Rufus, e Call percebeu que o professor devia ter invocado seu pai para a cerimônia.

— Precisamos fazer isso *agora* — disse o Mestre North.

Alastair desapareceu e reapareceu de novo a apenas trinta centímetros de Call. Call foi na direção do pai e os dois se abraçaram rapidamente. Alastair estava começando a parecer substancial: Call quase podia sentir a textura do paletó dele.

— Eu passei pelo Portão do Equilíbrio — murmurou Alastair. — Você também consegue. Você é meu filho.

— Eu sei.

Uma grande calma tinha dominado Call. Ele soltou o pai. Em algum lugar alguém murmurava sobre a presença de Devorados no Hall dos Graduados, mas ninguém se moveu para fazer qualquer coisa a respeito.

Muita coisa havia mudado no Magisterium, pensou Call, dando o último passo na direção do Portão do Equilíbrio. Gritos de estímulo soaram atrás: Alastair, Gwenda, Jasper, até os Rajavis.

Ele não passaria sozinho. Estava resguardado na retaguarda e seus dois melhores amigos o aguardavam do outro lado.

Respirou fundo e passou.

Era o olho de um tornado. Imagens da sua vida relampejavam ao redor: uma caverna de gelo, seu velho skate, a cozinha na casa de Alastair, o Refeitório cheio de alunos, o Mestre Rufus dando aula,

Aaron e Tamara rindo, Devastação ainda filhote enrolado dentro do seu casaco. O amor por todas essas coisas cresceu por dentro dele, expandindo-se dentro do peito.

Call viu a torre de ouro cair, Alex em seu dragão, Drew pendurando Aaron acima do monstro do caos, Anastasia morrendo, o Mestre Joseph vigiando-o. Mas não sentiu raiva. Ele tinha sido melhor do que aquelas coisas, aquelas pessoas. Tinha vencido. A melhor parte dele tinha saído vitoriosa e não havia lembranças que não fossem suas naquele momento. Não existiam lembranças de Constantine Madden nem de Maugris. Apenas lembranças que pertenciam a *ele*.

Ele sabia quem realmente era.

Callum Hunt.

O tornado se afastou girando e a calma que veio em seguida foi quase ensurdecedora. Ele estava do outro lado, com Aaron e Tamara; ambos rindo. Eles tinham conseguido. Por enquanto as outras pessoas não podiam vê-los — mas Call enxergava os magos à distância, olhando ansiosos para o portão. Em breve a parede de ilusão sumiria, mas por enquanto eles estavam juntos, sem ser vistos.

— Conseguimos — disse Tamara. Em seguida segurou a mão de Aaron e a de Call. — Nós conseguimos, juntos.

Call e Aaron também se deram as mãos.

— E vamos prometer que não seremos como os outros usuários do caos — disse Aaron a Call, apertando sua mão com força. — Não seremos como Maugris. Quando estivermos velhos e chegar a hora de morrer, vamos partir. Nunca mais vamos fazer nada assim.

Call assentiu.

— Nada de ficar pulando de corpo em corpo.

— Nada de ficar pulando de corpo em corpo — disse Tamara. — Vocês vigiem um ao outro. E eu vou vigiar os dois. E se um de vocês violar o pacto, o outro tem de impedir. Junto comigo. Entendido?

Aaron sorriu e havia alguma coisa em seu olhar, algo estranho naqueles olhos que nem sempre haviam pertencido a ele.

— Prometo — disse. — Prometo de verdade. Enquanto eu viver, nunca, jamais vou roubar outro corpo.

Call olhou nos olhos de Aaron.

— Eu também prometo. De agora em diante vamos jogar segundo as regras.

Ele sorriu para Aaron, afastando um fiapo de dúvida. Agora ele era uma pessoa boa. Os dois eram.

Só precisavam continuar assim.

Este livro foi composto na tipologia Chaparral Pro,
em corpo 12,5/18,25, e impresso na Gráfica Leograf.